# CANÇÃO PARA NINAR MENINO GRANDE

## CONCEIÇÃO EVARISTO

Rio de Janeiro | 2025
2ª edição | 4ª reimpressão

Copyright © Conceição Evaristo 2022

**editoras**
Cristina Fernandes Warth
Mariana Warth

**revisão**
Léia Coelho

**coordenação de produção, projeto gráfico e capa**
Daniel Viana

**imagem de capa**
Antônio Obá, *Desdobramentos sobre sankofa*, óleo sobre tela, 80 × 90 cm, 2021.
Cortesia do Artista e da Galeria Mendes Wood DM São Paulo, Bruxelas, Nova York.
Foto: Bruno Leão

**assistente editorial**
Daniella Riet

**preparação de texto**
Eneida D. Gaspar

Este livro segue as novas regras do Acordo Ortográfico da Língua Portuguesa.

Todos os direitos reservados à Pallas Editora e Distribuidora Ltda.
É vetada a reprodução por qualquer meio mecânico, eletrônico, xerográfico etc., sem a permissão por escrito da editora, de parte ou totalidade do material escrito.

Este livro foi impresso em abril de 2025, na Gráfica Eskenazi, em São Paulo.
O papel de miolo é o pólen natural 80g/m², e o de capa é o cartão 250g/m².
As famílias tipográficas utilizadas usadas foram a ITC Stone Serif Std para o texto e a Caecilia LT Pro para os títulos.

**CIP-BRASIL. CATALOGAÇÃO-NA-FONTE**
**SINDICATO NACIONAL DOS EDITORES DE LIVROS, RJ**

E94c

    Evaristo, Conceição, 1946-
        Canção para ninar menino grande / Conceição Evaristo. – 2. ed. - Rio de Janeiro: Pallas, 2022.
        136 p.; 21 cm.

        ISBN 978-65-5602-088-4

        1. Romance brasileiro. I. Título.

22-80739                            CDD: 869.3
                                    CDU: 82-93(81)

Gabriela Faray Ferreira Lopes - Bibliotecária - CRB-7/6643

**Pallas Editora e Distribuidora Ltda.**
Rua Frederico de Albuquerque, 56 – Higienópolis
CEP 21050-840 – Rio de Janeiro – RJ
Tel./fax: 21 2270-0186
www.pallaseditora.com.br | pallas@pallaseditora.com.br

Este livro é oferecido a todas as pessoas
que se enveredam pelos caminhos da
paixão e que, mesmo se resfolegando em
meio a muitas pedras, não se esquecem
do gozo que as águas permitem.

É uma celebração ao amor e às suas demências.

É ainda um júbilo à vida, que me permite
embaralhar tudo: vivência e criação,
vivência e escrita. Escrevivência.

# AGRADECIMENTOS

A Isabella Rosado Nunes, a que primeiro ouviu e leu as histórias de Fio Jasmim, e juntas ficamos buscando reconhecer alguns personagens reais, que comprovam a existência de Jasmim e de algumas de suas mulheres, no texto real, concreto da vida. Foi bom apresentá-la ao Jasmim, quando eu mesma ainda estava tentando entender o moço.

A Ludmilla Lis, que tanto se admirou com o meu jeito de contar as histórias de Fio Jasmim e leu, para eu ouvir, com tamanha ênfase a narrativa, me ajudando a não perder o fio da meada. E, com uma sensibilidade só dela, vislumbrou como a escrevivência, condição que sempre pretendo marcar na minha escrita, não se esgota em experiência pessoal, mas se enreda, se cumplicia, se (con)funde com tantas outras vivências de mulheres.

# DAS MINÚCIAS AO ENGRANDECIMENTO

Creio mesmo que não devemos desprezar as minúcias de um relato, se quisermos nos aproximar o mais possível da história em sua quase totalidade. Principalmente se for um caso de amor. E por que digo quase? Porque, por minhas andanças nos caminhos da escuta e do contar, sinto, depois, que pedaços da matéria-prima, do relato original, vão se perdendo pelos caminhos. Se contar o acontecido já é uma traição com o vivido, pois, muitas vezes, se trata de uma reconstrução malfeita das lembranças, recontar o que ouvimos pode ser uma dupla traição. Por isso, recontar é um trabalho perene, infindo. É preciso voltar sempre no afã de buscar os pedaços da história que ficaram perdidos. E foi o que se deu. De repente me veio à lembrança tudo o que Juventina me contou. Vi vazios no relato. Como me esforço para ser fiel ao que me contam, mesmo sabendo da impossibilidade de cumprir tal propósito, tentei rearrumar os fatos que narrei. Perguntei a Tina sobre os pedaços faltantes. Ela afirmou que o descuido havia sido de minha escuta. Juventina suspeitou de minha atenção, do meu cuidado em apreender todos os momentos da história. Calei-me e ela me contou as partes que faltavam. Somente hoje trago, para vocês, as porções ausentes no tecido da história contada anteriormente. Eis, pois, o que consegui captar das passagens de Aurora, de Antonieta, de Dolores e de Dalva, que compõem também a saga amorosa (?) de Fio Jasmim, mas que ficaram ignoradas no primeiro relato. As histórias desvendadas neste segundo relato se vinculam à primeira narração. Repito, não sei se a falha foi de Juventina ao me contar ou se me desatentei em algum momento da escuta. Tento remediar, apresentando agora o que meus sentidos deixaram escapar por ocasião da primeira narrativa de *Canção*...

Lembrem-se de que estamos tratando de uma história de amor, ou, para ser mais exata, de amores, e muitas são as pessoas amantes. Isto é, as que amam ou as que perseguem esse sentimento, na esperança e no desejo de serem amadas. As histórias de Juventina, de Neide, de Pérola Maria, de Angelina e de Eleonora, contadas desde a primeira narração, têm os sentidos ampliados ao serem consideradas em seus cruzamentos com as das outras mulheres reveladas agora. As particularidades da relação de cada uma no conjunto ajudam compor a imagem caleidoscópica de Fio Jasmim e os sentidos e os dessentidos dos fios amorosos ou enganosos das deambulações de Jasmim, na vida das mulheres. Ou, quem sabe, o contrário, entender o sentido das mulheres no movediço terreno da vida sentimental de Fio Jasmim.

Posso afirmar agora que a história está quase completa, quase-quase. Apurei todos os meus sentidos, embora Juventina tivesse me lançado a dúvida acerca de minha competência em apreender os cantos e os recantos dos fatos com as suas personagens. Juventina me imputa a dúvida e a culpa. Ouvi direito? O que estou relatando é o que ouvi? A dúvida e a culpa me colocam em dívida com o que ouvi e com o que relato. Entretanto, insisto que sempre estive inteira no momento da escuta. Contudo, a escrita me deixa em profundo estado de desesperação, pois a letra não agarra tudo o que o corpo diz. Na escrita faltam os gestos, os olhares, a boca entreaberta de onde vazam ruídos e não palavras. No registro da letra também faltam o tremor do choro e o rasgo do riso. A fala suspensa foge da escrita. E mais, a grafia não registra a intensidade de um silêncio intervalar, diante de um renovado estado de estupor, vivido na hora das relembranças. Se contar e recontar são atos marcados por sinais de incompletude, pois difícil é traduzir os intensos sentidos da memória, imaginem escrever. Imaginem perseguir uma escrevivência. Agarrar a vida, a existência, e escrevê-la em seu estado de acontecimentos. Mas persisto nessa intenção. Só falarei do brilho das estrelas, das árvores frondosas que habitam determinada esquina e debulharei as palavras, da sua raiz até as suas derivações, se tudo me vier agarrado à vida. Nem precisa ser só a minha vida, pois me é fundamental a vida das pessoas em meu entorno. Das pessoas, em particular da minha gente, das que estão aqui e agora, das resguardadas tanto pelo passado recente, como das que moram nos fundos dos tempos e que predisseram e predizem o tempo do que vai acontecer. Não descanso, não durmo, não fecho os olhos, não me distraio. Vigio tanto que nem sei se oro. Capto como testemunha ocular ou como ouvinte a dinâmica de vidas que se confundem com a minha, por algum motivo. Fui uma das mulheres de Fio Jasmim; em alguma circunstância, pode ser. Fio Jasmim pode também encarnar a figura de um pai que me escapou como afeto. Não, o moço não me é estranho, como as mulheres que estiveram com ele também não. Eis o motivo de minha preocupação em escutar todas. São muitas, plurais e diversas as vozes que me provocavam a escrevivência.

**QUANDO** Juventina, meio sufocada, sentiu uma forte dor no peito, e o mundo rodopiou aos seus pés, ela cambaleou, cambaleou e, quase caindo, chamou por nós. Quem a viu de perto pôde perceber o tom acinzentado que se intrometeu em seu rosto negro por uns instantes e o leve tremor de seus lábios. Repentinamente, porém, ela pareceu ter reconquistado o equilíbrio. Nós, suas amigas, preocupadas com qualquer mal súbito que pudesse atingir Juventina, começamos a emitir ordens buscando confirmar se o vigor pairava ou não na vida dela.

— Levante os braços, Juventina, e venha até aqui em linha reta!

Juventina, com os braços para o alto, andou com tal leveza que mais parecia dançar sobre as águas tranquilas de um rio.

— Juventina, ande de fasto até encostar-se ao muro!

Ela andou tão ereta e sem qualquer interrupção, como se estivesse sendo vítima de um ímã a lhe puxar pelas costas, jogando-a no caminho do passado e não lhe permitindo a deslembrança de qualquer detalhe.

— Cante uma de suas músicas, Juventina!

Então, uma voz cálida de tons diversos, em acordes de fazer dormir e acordar humanos, bichos, estrelas, pedras, plantas, enfim, toda a natureza, rompeu o espaço, silenciando os nossos amedrontados murmúrios, e imperou sozinha no tempo. E para o nosso espanto — e, ao mesmo tempo, para a nossa tranquilidade —, Juventina não só cantou, mas cantou a música de sua preferência, a "Canção para ninar menino grande". Choramos e sorrimos aliviadas, embora eu ainda me recusasse a acreditar que a dor no peito de Juventina fosse apenas qualquer mal passageiro. Insistentemente, vigiava todo o corpo dela, temendo pela vida, ou melhor, pela morte dela. Ainda assim, Juventina estava bem, nada esmorecia nela. A dor no peito e os passos cambaleantes de minutos atrás, sintomas sem explicação, só podiam ser nada então. E depois, no decorrer de minha conversa com ela, quando já estávamos nós duas somente, foi que entendi. Era dor sim, a maior. E só Juventina sabia qual. Dor de amor, ela me contou mais tarde. Não que estivesse apaixonada. Não, não mais. Não mais. Agora ela só era Juventina. Paixões eram do tempo em que ela era Tina. Agora, só lembranças do que fora a Tina.

Uma carta escrita em papel de seda, abandonada tal qual o corpo violentado de uma mulher, ao lado de um não desejado homem adormecido depois do gozo, jazia sobre a mesa. Em letras desenhadas com esmero, podia-se ler a repetida frase: "Eu te amo, eu te amo." Fio Jasmim pousou sobre a folha, que balançava ao vento, um descuidado olhar; já sabia de cor todo o conteúdo. Tina lhe escrevia quase sempre. Ele tinha inúmeras cartas dela e não sabia mais o que fazer com tantas folhas. Muito menos, com o amor da moça. Devolver as cartas, podia; mas, sem elas, como convencer a sua mulher de que ele, primeiramente, havia sido vítima do assédio sexual e, com o tempo, do amor louco da moça? Não, ele não era o culpado. A moça sabia que ele era casado e, mesmo assim, se oferecia. Lá estavam as palavras dela, escritas por ela, assinadas por ela. Tina Maria Perpétua.

    Fio Jasmim novamente percorreu o olhar sobre o papel. Não podia deixá-lo sobre a mesa como se fosse um esquecimento. Já fizera isto várias vezes. Esquecera as cartas de Tina sobre a escrivaninha, sobre a mesa da cozinha, sobre a pia do banheiro e, um dia, até debaixo do travesseiro. Sabia que a sua mulher lia e engolia as apaixonadas declarações da outra, sem nada dizer. Fio amassou com força o papel de seda. O amor de Tina doeu-lhe entre os dedos. Pensou na moça com carinho e desejou a passividade do corpo dela.

**FIO JASMIM** estava com quarenta e quatro anos e, desde os vinte, elegera Pérola Maria como sua esposa em cerimônia religiosa e civil. Viviam bem, segundo as palavras dele. A fala de Pérola, nem eu, nem Tina alcançamos. Não sei se alguma amiga do nosso círculo foi confidente dela. Uma vez, ouvimos alguém dizer que o prazer de Pérola era ter filhos. Assustamos. Essa não tinha sido a opção de muitas de nós. Amávamos sim os nossos filhos. Mas nem aquelas que acalentavam o desejo de ser mãe, e tiveram essa vontade atendida, fizeram desse prazer o único escolhido. Com Pérola, Fio Jasmim tinha oito filhos e estavam em vésperas do nono. Outras crianças, algumas mesmas da circunvizinhança, eram apontadas como filhas também de Jasmim. Dolores afirmava alto e bom som que as gêmeas eram filhas do marido de Pérola Maria. Antonieta garantia que o seu caçula, o Jasminzinho, um dia ainda iria morar com o pai. Dalva Ruiva, por sua vez, mãe de cinco filhos, os três mais novos com seus cabelos de fogo, como os dela, porém encaracolados e bem crespos, como os daquele que era apontado como o pai das crianças, antes de mudar para o Nordeste visitou o casal. Dizem que o encontro foi amistoso para os três adultos e divertido para os meninos. As duas mulheres, Pérola Maria e Dalva Ruiva, conversaram como se comadres fossem, enquanto as crianças de uma brincavam com as da outra. E, depois, aquelas que iam partir pediram a bênção ao pai e se despediram das que ficaram chamando-as de manos. Nenhuma dessas relações Jasmim desmentia, mas também explicitamente não confirmava. Abraçava a mulher, dizia ser ela a pérola e as outras pedras brutas sem qualquer brilho. Cuidadoso, bebia e lambia as poucas lágrimas que a mulher vertia nas horas em que a infidelidade do marido lhe doía.

Algumas outras relações que Fio Jasmim tivera antes do casamento, e mesmo depois, dizem, não caíram nos ouvidos e, muito menos, na crença de Pérola Maria, mesmo quando as provas, os fatos, os filhos do homem dela lhes eram apresentados ou chegavam ao seu conhecimento. Pérola ignorava ou, quando muito, caía em um choro tão profundo, mas só de lágrimas, que quase causava um remorso em Fio. Daí a uns meses, ela engravidava, quase sempre. Distantes geograficamente, ou perdidas no passado, como a história inundada de água, a de Aurora; a que floriu o jardim de casa, com plantação de jasmins, a de Antonieta; a da mãe das gêmeas, conhecedora de joias, a de Dolores dos Santos; a da que desesperadamente buscava traços do príncipe negro em seus filhos, a de Dalva, a Ruiva; nenhuma delas lhes provocou sofrimentos.

Jasmim teve muita sorte com as mulheres que cruzaram os caminhos dele. Elas lhe ofereceram amor ou um inofensivo esquecimento. Só a Dos Santos, talvez, fosse a única que tenha transformado o amor que sentira por ele em ódio. E durante muito tempo planejou modos de se vingar de Jasmim, atacando Pérola e os filhos dele.

Parece que essas relações ficaram como se nunca tivessem existido para ele. Mas quem sabe, talvez, algumas dessas lembranças desses encontros estivessem conservadas em algum vão de sua memória. Entretanto, como partículas tão pequenas, como imagens tão diluídas, que ele poderia afirmar a inexistência delas.

Mas, para as mulheres, o contrário se dava. Nós, às vezes, nos embrenhamos de tal forma nas recordações do passado, que o já acontecido se levanta das vias da memória e se corporifica no presente. Foi o que se deu com Neide Paranhos da Silva. Ela fez da breve presença de Fio Jasmim em sua vida uma sólida e palpável lembrança.

**Quando** Fio Jasmim chegou à cidade Vale dos Laranjais, o local estava em festas e a moça Neide Paranhos, contaminada pela alegria do entorno, só sabia sorrir naqueles dias. Era o tempo de colheitas de laranjas, em suas variadas espécies. Tempo de alta safra; celebrava-se temporada da colheita. Havia uma intensa movimentação, desde a estação até o mais longínquo sítio do lugar. Em cada casa circunvizinha da estação de trem, uma pessoa jovem, mulher ou homem, era eleita para representar a família. Seu papel era o de postar-se à espera da chegada do comboio. Ali, com gestos de boas-vindas, deveria oferecer aos maquinistas e aos seus ajudantes, assim como às autoridades políticas e religiosas que estivessem chegando, mimos cuja origem era a fruta. Doces, sucos, bolos, como também lembrancinhas mais aprimoradas. Águas de cheiro e pequenos pedacinhos de sabão que recendiam às flores de laranjeira. As mulheres, nesses momentos, quase sempre eram as representantes. Eram elas que ofereciam os presentes. E para muitas, desde as mais jovens às mais maduras, era uma oportunidade ímpar de se apresentarem à rua. Para Neide Paranhos da Silva, foi o momento em que ela se apresentou à vida.

Neide acabava de completar dezenove anos quando foi escolhida pelos familiares como a pessoa dos Paranhos que iria "alaranjar" a estação. A princípio, não se mostrou entusiasmada. A moça não gostava de sair de casa nem de falar com estranhos. Assim como odiava o movimento que invadia a cidade naquele período e quebrava com a vida sossegada de todos. Um detalhe maior é significativo na história da moça Paranhos da Silva. Ela não gostava da fruta no período da alta safra. Era acometida de engulhos ao sentir por toda a casa o aroma invasor das laranjas. Neide só se identificava com a fruta temporã. Só a tardia, a da baixa safra. Somente a rara frutescência daquela ocasião tinha poder de entranhar e seduzir todos os sentidos de Neide. Da visão ao tato. Do paladar ao olfato. Todos os sentidos. E ainda o da audição. Na hora da colheita, o breve ruído, brevíssimo, do corpo da laranja tombando no solo, por descuido ou por falta de ligeireza das mãos no ato do apanho, provocava na moça um profundo e inconfessável prazer. Uma espécie de gozo se estendia por ela toda, enquanto armazenava nas caixas as poucas dúzias colhidas. E o leve resfolegar da fruta uma na outra, em seus sensíveis ouvidos, soava como murmúrios abafados de um bendito amor. Ligeiros tremores percorriam o corpo da moça que, em contido silêncio, desempenhava o saboroso ofício.

— Se a festa acontecesse no momento da escassez da fruta, eu estaria plena de prazer a "alaranjar" tudo — dizia de si para si —, contudo fui eu a escolhida e não tenho como fugir da sorte. Só espero que ela me seja boa!

E, assim, ainda tomada por certa má vontade, Neide se preparou para o dia. Cuidou de todos os detalhes: do vestido de tom alaranjado, dos cabelos crespos amarrados no alto da cabeça e da sandália, soltinha nos pés, que lhe causava uma grande sensação de liberdade. Desde o dia anterior, a cestinha de presentes, dádivas que a moça deveria distribuir, já se achava pronta. Dona Ismênia, a doceira da família, avó de Neide, tinha preparado tudo. Vó Ismênia adocicava a vida das pessoas. Neide Paranhos, sua neta mais amada, sabia disto desde pequena. A mais velha do clã herdara a sabedoria e a competência de exímias cozinheiras, suas antepassadas. Mulheres que haviam experimentado o labor de cozinhar e de nutrir corpos alheios desde a escravidão. Com desmedido zelo, Dona Ismênia havia cuidado das cestas. Lá estavam as duas com os seus alvos forrinhos rendados. Uma de doces e a outra repleta de água de cheiro e coisinhas perfumadas. Ao final de tantos preparativos, Neide, ao escutar o costumeiro apito do trem, saiu feliz para estação. A moça e o trem chegaram juntos. Ambos felizes.

 Os dois maquinistas, profissionais de longo tempo, acostumados ao ir e vir por aquelas paragens, durante o extenso trajeto, foram preparando o coração do jovem ajudante. Era preciso informar ao rapaz sobre a beleza do festejo que os aguardava no Vale dos Laranjais. Era uma festa em todos os sentidos. Começava na estação. Ali eles ganhariam iguarias, doces, sucos, presentinhos e, com um pouco de sorte, poderiam ganhar até o coração das mulheres. Entretanto, era preciso cuidado. As que apareciam oferecendo presentes estavam sob o mando e a guarda da família. Pai, marido ou mesmo um irmão poderia estar por perto, pertíssimo na vigilância. Eram moças de família. E sempre havia um membro da casa delas que trabalhava na ferrovia da cidade, ou em outra próxima. Eram as famílias dessas moças que ocupavam as casas da companhia ferroviária, perto das estações. Mas havia as mulheres livres. Essas, sim, estavam soltas — continuava a explicação dada pelo maquinista mais velho —, mais distantes dali. Nesses dias, elas não apareciam na estação. Ficavam esperando nos lugares reservados para a profissão que exerciam.

Fio Jasmim, com os seus quase vinte anos, em vésperas de casamento com Pérola Maria, já tinha conhecido várias mulheres. Ele gostava da liberdade daquelas que se diziam e que se portavam como livres. Como o pai, Máximo Jasmim, ele repetia que o homem, o macho, nada tinha a perder. Os maquinistas, homens mais velhos, tendo idade inclusive para serem pais do moço, parabenizavam o gosto do rapaz por mulheres. Diziam que o jovem ajudante de maquinista trazia em si algo rijo, inquebrantável como os ferros do trem de ferro. E gargalhavam até se contorcerem com as piadinhas insossas que criavam, cuja base provocadora do riso era sempre o duro ferro dos homens a açoitar as mulheres.

A recepção dada aos maquinistas e ao jovem ajudante foi de primeira. Fio Jasmim estava encantado e não sabia como agradecer tanta distinção. Era a primeira vez que ele chegava à cidade, e a festividade do acolhimento se concentrou nele. Todas as famílias, ali representadas, escolhiam os melhores mimos para oferecer ao rapaz. Tanto era o cuidado e a atenção dispensada a ele, que momentos houve em que o rapaz se acanhou um pouco. Fio percebeu, ainda, o despeito dos velhos maquinistas ao se sentirem preteridos em favor dele.

Das mulheres anfitriãs na estação, uma, em particular, despertou a atenção do rapaz. O porte de Neide Paranhos da Silva caiu fundo nos olhos do moço. Por um instante, lamentou estar de casamento marcado com Pérola Maria, pois desejou pedir a moça em namoro. Ao receber os presentes da família Paranhos da Silva, demorou com as mãos nas mãos da representante da casa. Neide gostou da dissimulada audácia do rapaz. E percebeu quando ele, ainda em afetado jogo, fingindo elegância, abaixou os olhos para percorrer de cima para baixo todo o corpo dela. A moça notou, também, quando o novo maquinista, aquele que estava ali em sua vez primeira, parou seduzido contemplando os pés dela.

*Um mimo!* — Fio Jasmim nunca havia posto os olhos nos pés de mulher alguma. Em sua afoiteza de homem jovem, a sua sedução era conduzida somente para algumas partes do corpo das mulheres. — *Um mimo, um mimo!* Encantado, havia descoberto que as mulheres tinham pés. E se perdeu no contemplar daqueles pés negros. Pés mal cobertos por sandália de tiras coloridas, que, mesmo parados, pareciam ter desejo e força para ganhar o mundo. Foi tão intenso o olhar eternizado de Fio para os pés da moça Paranhos, que ele esqueceu de dar um passo à frente. A moça representante da família Seleta Silva, que estava postada no espaço contíguo ao de Neide Paranhos, achou que o moço estivesse recusando receber o presente. Um vidro de compota de laranja pesava no ar, quase se estilhaçando diante da distraída recepção de Fio Jasmim. Suas mãos abertas no ar se moviam quase paradas no gesto de recolha da oferta. E tal foi a demora no ato do recebimento que a família ofertante pensou humilhada em recolher o gesto de boas-vindas ao moço. Jasmim, ainda distraído, segurou a oferta como quem nada tivesse entre as mãos, a não ser um vidro vazio, cheio de nada. Tudo nele, ali naquele momento presente, era outro instante ganhando diferente sentido. O moço maquinista, recém-chegado à cidade, tentava manusear no tempo uma lembrança distante, provocada pela descoberta dos pés nus da moça.

*Os pezinhos pareciam os da Cinderela* — pensou Fio Jasmim —, *de uma Cinderela negra*. E ele, Príncipe Negro, na festa que haveria na casa dela, perto da estação, iria beijá-los e calçá--los... Tal ato significaria um pedido para fazer amor com ela; pedido de casamento não, pois já estava comprometido com Pérola Maria. Por um momento, o devaneio se desfez, mas uma recordação da infância insistia entre outros pensamentos.

Fio Jasmim recolheu os presentes oferecidos pelas outras famílias e se encaminhou junto com os dois maquinistas para a pensão em que passariam a noite. Mais tarde, haveria festas na casa de um e de outro, rezas na igrejinha local, em agradecimento a Nossa Senhora da Boa Colheita. E haveria ainda visitas, caso ele quisesse, ao lugar onde as mulheres livres exerciam os seus trabalhos, na labuta do urdimento do prazer. Ele faria um pouco de tudo. Seria o príncipe da noite. Não havia ali ninguém para impedir ao moço maquinista o experimento de sua realeza. Nem a professora, nem a diretora, nem os coleguinhas de classe. Fio Jasmim seria o príncipe da noite. Se naquele dia, quando tinha apenas oito anos de idade, a professora, Dona Celeste, depois de ter contado a história da Cinderela, impediu que ele encarnasse o papel de príncipe, chamando, para o jogo cênico, um menininho loiro, ele agora poderia ser tudo. Seria então o Príncipe Negro da noite e encontraria tantas mulheres, tantas cinderelas, quanto o seu coleguinha branco, com certeza, estava encontrando na vida. Eles eram homens. E, como o homem branco, ele conquistava todas as mulheres que surgissem na sua frente. Eram iguais, ele e o homem branco, assim pensava Fio Jasmim...

Naquela noite, Fio Jasmim reinou sobre a cidade. Todas as pessoas ficaram encantadas com o novo ajudante de maquinista. Um rapazinho elegante, que saudava os mais velhos e as mulheres com respeito, sorria para as mocinhas e afagava as cabecinhas das crianças. Se Fio estivesse ali como candidato a algum cargo eletivo, com certeza teria a preferência da maioria. Nos primeiros momentos, logo que desceu do trem, muito de sua conduta foi conscientemente preparada. Com gestos premeditados, o rapaz buscava conquistar a simpatia de todos. Aos poucos, foi perdendo a necessidade de elaborar uma imagem agradável que nem precisava ensaiar para ser. E foi se revelando naquilo que verdadeiramente era. Um moço extremamente cativante. Um jovem homem de gestos notadamente viris, condizentes com o seu porte físico, alto e forte, acompanhado de expressões faciais, principalmente o modo de olhar, carregadas de extrema ternura. Esse era o príncipe, o menino negro que havia crescido. Fio Jasmim conquistou o coração da cidade. No coração da cidade estava a célula familiar dos Paranhos da Silva. Neide estava lá.

**A moça** Paranhos da Silva vivia tranquilamente no seio de uma família composta pela avó, a Dona Ismênia, sua mãe Floripes, seu pai Francisco, dois irmãos mais velhos e, ainda, três primas pequenas. Meninas, cuja mãe havia sumido e o pai, irmão de Sr. Francisco, o Fortunato, meses depois morrera de desgosto diante da desaparição da mulher. Os Paranhos da Silva tinham um comércio próprio e formavam uma das poucas famílias negras donas de terras da região. Não que a cidade Vale dos Laranjais não tivesse pessoas negras; tinha sim, mas poucas, pouquíssimas eram donas de terra e gozavam de autonomia junto aos grandes fazendeiros locais.

A família de Neide fazia questão de conservar o pomposo sobrenome, "Paranhos", herdado dos tempos da escravatura. A manutenção do nome dos descendentes dos antigos colonizadores, cuja família era tradicional na cidade, para o clã descendente de africanos escravizados, ganhara um sentido de enfrentamento aos brancos "Paranhos". Para além de ser um destino histórico, era uma velada reivindicação de uma fortuna familiar dos brancos, que em grande parte era de pertença dos negros "Paranhos". Outra espécie de pronunciamento afirmativo se deu com a introdução voluntária do sobrenome "Silva". Identificação familiar que, apesar de ser também uma alcunha do legado português, marcava um difuso pertencimento genealógico de uma infinidade de pessoas. Tornar-se um "Silva", em meio a tanta gente, assinalava também a impossibilidade de recuperação dos nomes africanos perdidos no tempo, lamentava sempre Vovó Ismênia.

Desfrutando de uma segurança e certo conforto que seus pais não tiveram, e muito menos a Vovó Ismênia, Neide Paranhos da Silva nunca se dispôs a deixar a cidade Vale dos Laranjais por motivo algum. Tendo terminado seus estudos primários em Laranjais e feito o segundo grau na cidade próxima vizinha, ela não quis se apartar dos seus. A mãe, muito a contragosto do pai, acenou para a filha com a possibilidade de ela ir adiante nos estudos. Poderia ir para uma cidade no sul do estado, um pouco mais longe, e tentar uma carreira, algo de que ela gostasse para se dedicar. Neide não demonstrou entusiasmo algum. Não sabia ainda se queria continuar estudando, embora gostasse muito de ler. Também não queria viver no meio de outras pessoas, falar com gente estranha e, além disso, sair de casa, deixar toda a família, especialmente a Vovó Ismênia, tão velhinha. Ninguém entendeu a moça, mas, no íntimo, até a mãe, em segredo, se regozijou com a recusa dela em deixar os seus. Menos Dona Ismênia. A senhora carinhosamente avisou à moça que uma separação entre elas aconteceria mais cedo ou mais tarde. Aos velhos, outra viagem já se acha encomendada — ponderou Dona Ismênia —, querendo a família ou não. No dia em que essa conversa aconteceu, Neide não dormiu direito. De quando em quando, ia ao quarto da avó vigiar o sono pesado da matriarca da família. Porém, de vez em quando, em meio a uma conversa ou outra, sempre puxada por Dona Ismênia, a recusa da moça voltava à tona. Seria muito bom se Neide, que gostava tanto de ler, fosse estudar e se formar na cidade do sul. Seria a primeira da família, pois um dos irmãos trabalhava também na rede ferroviária, e o outro, desde cedo, havia se interessado pelo comércio do pai. A ida de Neide aos estudos poderia também servir de exemplo para as meninas menores, suas primas. Mas nada convencia a moça a deixar a cidadezinha de Vale dos Laranjais.

Quase dois anos depois que Neide se recusou a agarrar a possibilidade de continuar seus estudos, por sua nenhuma disposição em sair de perto de sua família, foi que aconteceu o Festival das Laranjas. Com uma escolhida vida reservada dentro de casa — saindo apenas para ir à parca bibliotecazinha local e, algumas vezes, à missa aos domingos —, de repente, a moça se viu na função de representante dos seus na concorrida festa sazonal. Neide resolveu que iria cumprir bem a missão. Conversaria e sorriria para todos e para qualquer um, para que o serviço não ficasse tão penoso. E assim fez. Encheu o coração de boa vontade. E não se sabe se foi pelo coração aberto, se pelo sorriso sempre colocado nos lábios da moça, ou se pelos seus belos pezinhos de Cinderela, que uma história de amor se deu. Ou, mesmo, se foi por tudo isso, mas o fato foi que Fio Jasmim, ao se aportar na cidade em festa, festejou-se também no coração-corpo da moça. E Neide Paranhos, que até então não tinha prestado atenção a nenhum rapazinho da cidade, despertou em curiosidade sobre quem seria aquele moço. Entusiasmada, resolveu descobrir quem seria aquela cativante criatura. E quase descobriu, se não fosse Fio Jasmim esconderijo e mistério dele mesmo.

À noite, como era de praxe no período dos festejos, todo mundo ia à casa de todo mundo. Podia escolher qual família iria visitar, sem precisar de prévios convites nem de conhecimentos. Aliás, no Vale dos Laranjais, todo mundo conhecia todo mundo. Quase ninguém ficava como desconhecido, nem os novíssimos, como Fio, que acabara de chegar à cidade. Os maquinistas e seus ajudantes não se revezavam tanto, brevemente o moço retornaria. Então, já se podia previamente tratar Fio Jasmim como se conhecido ele fosse.

E foi assim mesmo. Fio Jasmim deu entrada na cidade naquele ano umas quatro vezes. As laranjas continuavam sendo plantadas e colhidas, tudo na mais rotineira ordem. Só o tempo da festa era um. E o moço também. O único no coração da moça. A cada vez que ele retornava, um tímido namoro era repetido entre os dois. Neide Paranhos da Silva não sabia bem o que queria do moço. Suspeitava que ele fosse noivo ou casado. Se ele tivesse compromisso, não tinha importância. Ela jamais casaria com ele ou com ninguém. Poderia até ter filhos, mas não queria ser esposa de ninguém. Nem do Príncipe Negro. que insistia em acarinhar os pezinhos dela na varanda de casa, enquanto tinham um namoro de poucas palavras, a cada vinda dele ao Vale dos Laranjais. Assim como decidira não sair de casa para estudar, queria continuar em sua casa, sem nunca se casar. Um dia, pediu em sã consciência que Fio Jasmim fizesse um filho nela. Ele, temeroso, tentou recusar. Sabia que a moça era virgem e ele já estava comprometido em casamento com outra. Ele era um homem quase casado. Neide Paranhos da Silva insistiu, afirmando que estava fazendo a escolha mais importante da vida dela.

Estavam nos meses da pequena colheita. As laranjas temporãs balançavam quase se despendendo da haste-mãe laranjeira. E foi nesse tempo de escassez da fruta, que tudo se deu. Um dia, no prenúncio da quase noite, quando o sol antes no poente havia exposto seus entretons amarelos e alaranjados, tomando o rumo para o outro lado do mundo, foi que os dois também inventaram novos caminhos. Ninguém viu quando o Príncipe Negro e sua Cinderela, de pés livremente emoldurados em uma aberta sandália, seguiram para o trem parado na estação. Lá escolheram um vagão ao acaso. A máquina ainda permaneceria na cidade por algumas horas quaisquer. Fio também. Aquela estava sendo a sua última viagem à cidade do Vale dos Laranjais. Neide sabia. Desde a véspera, ele havia contado sobre a nova rota para a qual tinha sido designado. Cumpriria agora o veio do sul do estado, bem no extremo sul. Devido a essas circunstâncias, o namoro deles não seguiria adiante. Haviam chegado à estação final. E, quando Fio Jasmim esperou que Neide Paranhos da Silva se desmanchasse em lágrimas, ela pediu, entre a calma e um mal disfarçado desejo, que ele lhe fizesse um filho.

O filho de Fio Jasmim feito em Neide Paranhos da Silva, segundo um desejo dela, foi concebido em época da colheita do fruto temporão. Neide estava apaziguada com ela mesma e guardava a certeza de que iria engravidar. Talvez tenha sido esse o primeiro filho de Jasmim. O primogênito, justo aquele que ele nunca soube ao certo se o filho realmente existia ou não. Só uma vez teve notícias de que ela estaria grávida, quando Neide já estava em vésperas de parir. Novamente, era a estação da fruta temporã, a parca colheita se aproximava, sem festa alguma.

A gravidez de Neide caiu como um incompreensível acontecimento no seio da família. O pai dela, cabisbaixo e envergonhado da natureza masculina, que era a dele, recordou de sua juventude sempre arriscada junto às mulheres, e dos severos conselhos de seu pai. Aos homens honrados, tudo é permitido, menos engravidar uma moça de família, e, se tal vergonha acontecesse, a solução seria o casamento para reparar o erro. Ele havia folgado com várias mulheres, nem cuidado tomava, pois todas já estavam na vida. E quando sentiu que era a hora, aos vinte e três anos, se casou com Floripes, a escolhida para ser a mãe de seus filhos. Havia feito tudo direitinho, e da mesma forma educava os seus dois filhos homens. Quanto a Neide, sua filha, sua menina, sempre ao lado da mãe e da avó, não era moça namoradeira e até preferira não continuar os estudos para não sair de casa. Não, ele não entendia o acontecido. A incompreensão dos dois irmãos de Neide também não foi menor. Eles só tinham elogios e orgulho da mana. Vários rapazes da cidade já tinham se insinuado para o lado dela e ela sempre se esquivava deles. Alguns mais íntimos deles, ou mais afoitos, se arriscavam a mandar recados para ela. Eles nem chegavam a transmitir. Tinham medo do pai, que não permitia nenhuma intimidade deles com a irmã e sabiam também que esse tipo de conversa com a moça cairia no vazio. A reação da mãe, Dona Floripes, foi uma dor à parte. Não sabia se estava sofrendo pela filha, que ela imaginava estar sofrendo tanto, ou se sofria por ela mesma. Tinha antes de tudo um sentimento de vergonha. Imaginava o seu corpo violado no corpo da filha. Uma menina tão arredia, tão fugitiva de estranhos, como uma pessoa com os modos dela abriria o corpo a um homem, tão recente na vida dela e de toda a família? Teria sido forçada? Teria sido seduzida? Estaria sua filha endoidecida por uma doentia paixão? Que milagre ou que desdita o jovem Fio Jasmim chegava anunciando para a vida da menina deles?

Nem milagre, nem desdita, nada abalou Vó Ismênia. E foi ela, a mais velha da família, que entendeu a pré-anunciação da gravidez de sua neta Neide. Sim, ela viu quando a moça, no começo de uma das eras temporãs de laranjas, saiu de mãos dadas com o moço ajudante de maquinista.

Só ela viu e percebeu que dos dois brotava o fogo da vida, como o ritmo desacelerado de uma máquina que segue ferindo e ferindo a razão do tempo. E quando a menina voltou procurando por ela para lhe contar tudo que havia vivido com o namorado, a velha não se assustou. E não se espantou quando a neta lhe disse que gostava de Fio Jasmim, mas não queria se casar com o moço, mesmo que ele não tivesse compromisso com outra. Ela não queria ser esposa dele e nem de homem algum. De um homem, ela só queria um filho. E Neide Paranhos da Silva conservou tão bem guardado em silêncio, mesmo para o menino, o nome do pai, que todo o sinal de pertença só era feito em nome da mãe. Fio Jasmim, que nem sabia ao certo se tinha sido pai ou não, ao longo dos tempos foi perdendo os detalhes da história. Na galeria de imagens de mulheres que povoava a sua mente, de vez em raro, uma princesa de pés livres caminhava em direção a um vagão de um trem. Mas eram tão leves e velozes os passos da princesa, que só ela alcançava o trem-carruagem. Fio Jasmim ficava sempre para trás. O comboio seguia ziguezagueando no enfumaçado tempo, enquanto que ele sozinho se perdia na deslembrada rota de suas aventuras.

**Angelina Devaneia da Cruz**, por sua vez, vivera acontecimentos nada calmos ao ter seus caminhos cruzados com os de Fio Jasmim. Essa, sim, o moço maquinista corporificou, por infindos instantes, o desejo mais profundo dela. E tudo aconteceu bem nas vésperas do casamento dele com Pérola Maria. Fio já havia perdido de vista em seus pensamentos a moça do Vale dos Laranjais. Seguia ativo crendo que deveria aproveitar os últimos dias de solteiro. Seus novos chefes maquinistas, também homens experientes na arte de conquistar mulher, admiravam um homem tão jovem, mas tão esperto como eles. E se esbanjavam em conselhos e histórias sobre o que seria a vida de casado, aconselhando Jasmim a desistir da perigosa empreitada. Entretanto, o moço não estava muito interessado em saber sobre a vida de casado. Isto ele veria depois. A preocupação dele, naquele momento, era a de aproveitar ao máximo os seus últimos dias de solteiro. E foi com tal estado de espírito que ele atravessou, sem avisar, a angustiante e solitária vida da enfermeira Angelina Devaneia da Cruz.

Angelina tinha trinta e três anos incompletos quando seus dias se abriram para um novo acontecimento, o da passagem de Fio Jasmim. Quando ele chegou, ela já esperava por ele. Às vezes, a sorte, o destino, a estrela são de um sofrido brilho. Na ceia nupcial em que tudo deveria ser a celebração da vida, o cálice oferecido não veio com o bom vinho; pelas bordas da taça, só o derramamento do fel. Angelina Devaneia da Cruz penou.

Enfermeira Angelina, a mais velha das sete irmãs, tinha sido a primeira pessoa da família a conquistar um título de nível superior. Era enfermeira mesmo, dizia isto com muito orgulho. Começara no hospital no cargo de limpeza, ainda bem jovem; tinha acabado de completar dezoito anos. Seu pai tinha uma pequena barbearia, que era frequentada pelos ricos da cidade. Um dos clientes da casa, o Dr. Juvenal Mesquita, arranjou-lhe um cargo de servente contratada. Angelina punha tanto cuidado na limpeza das coisas e do chão que, no final de poucos meses, mudou de profissão. Em um curso dado no próprio hospital, ela e mais duas dezenas de moças da limpeza foram elevadas ao nível de auxiliar de enfermagem. Muitas delas se acostumaram e se acomodaram à função, julgando que a vida estivesse pronta. Angelina não. Entre um plantão e outro, entre uma moeda ausente e outra faltante para condução, ela seguia em seus propósitos de estudos. Entre os lamentos de sua mãe, que desde o nascimento da sétima filha vivia em um quarto escuro, amargamente chorosa, Angelina seguia. E, passados alguns anos, não poucos de muita penúria, Angelina Devaneia da Cruz escutou seu nome soar no grande auditório da faculdade. Era a hora da entrega dos diplomas. O vibrar das palmas estridentes e orgulhosas do pai, das irmãs e de outras pessoas da família chegou à emoção da moça. Entretanto, o ecoar mais comovente de júbilo e de choro que a enfermeira Angelina ouviu tinha um acento especial. Vinha das manifestações de júbilo de sua irmã menor, a Setimazinha.

Setimazinha era a caçula da casa e recebera esse apelido carinhoso, dado por alguém da família. A menor de todas, a pequenininha, sempre fora tratada com muitos cuidados. Todas as pessoas, não só as da família. Quem soubesse da história da mãe de Setimazinha, reservava um modo de carinho especial para a menina. Condoíam-se muito da Setimazinha, pois nem mamar no peito a menina pôde. O corpo da mãe, quase no instante mesmo em que a menina nasceu, se derramou em lágrimas. Era como se o líquido amniótico da parturiente, ao invés de escorrer seguindo o percurso da natureza, subisse corpo adentro da mulher, a lhe vazar pelos olhos. Setimazinha não emitiu nenhum choro. A mãe, todos. A partir daquele instante, uma profunda tristeza se instalou em Dorinda da Cruz. Nunca mais ninguém ouviu sequer uma palavra dela. Somente soluços tão doloridos que pareciam carregar todas as tristezas do mundo. E assim foi até o dia em que desistiu da vida, abraçando por vontade própria a morte. Setimazinha não tinha nem palavras completas ainda, e do chão só saía se lhe dessem colo, quando o doloroso fato aconteceu. A menina acabou de crescer sob os cuidados de Angelina, sua irmã mais velha, que se fez mãe de toda a prole mais nova. Por isso, palmas e choro tão comovidos da Setimazinha, por ocasião da solenidade da formatura de sua mãe-irmã.

Angelina adotara a irmã menor como filha. E dizia de si para si que, quando se casasse, a Setimazinha iria com ela. Os planos de casamento de Angelina eram concretos. Ela não queria somente casar, acreditava mesmo que casaria um dia. A cada manhã, eram renovados os votos de crença na vida que lhe traria o noivo. Fizera do sonho do matrimônio uma certeza. Cria que uma aliança amorosa aconteceria em sua vida. Tinha o vestido de noiva e o enxoval completo. Dentre os seus, já havia escolhido os padrinhos de casamento. Ela falava com tal entusiasmo nas festividades de suas núpcias, que algumas de suas amigas, contaminadas pela certeza da noiva, também reservavam seus trajes novos para a festa que aconteceria no dia. A cidade de Alma das Flores também. O lugarejo esperava o noivo de Angelina como um grande advento. Havia em todas as pessoas a certeza de que o noivo de Angelina chegaria um dia. E a cada desconhecido que surgia na cidade, apostas eram feitas. Aquele sim era o noivo da enfermeira, em sua real e comprovada existência. Uma vez desfeita a certeza, a espera era sempre renovada.

E assim, em um sábado, véspera da Páscoa, no exato momento em que a molecada alma-florense cuidava da malhação de Judas, na cercania bem próxima da estação, a locomotiva chegou. O trem vinha da cidade de Monte Vazio, e lentamente foi parando na estação. Um fino silvado se intrometeu na gritaria dos meninos a espancar o Judas. Três cavalheiros desceram. O do meio, o mais belo, sorriu ao rever uma das brincadeiras de sua infância. "A malhação do Judas", o acabar com o sujeito traidor de Cristo. Os traidores deveriam ser sentenciados, pensou Fio Jasmim, o belo cavalheiro do meio.

Gabriel, um dos garotos, o que não gostava de espancar o Judas, mas participava do jogo, pois desde pequeno fora informado pelo pai e pela mãe de que aquilo era uma brincadeira de meninos, percebeu a chegada dos três homens. Ele sabia que se tratava dos maquinistas, mas o do meio quem era? Trazia também um uniforme igual aos dos outros, mas quem era o do meio? Uma mulher do lado de fora da estação segredou, mas não tão baixo, que o do meio era o noivo de Angelina Devaneia da Cruz. O menino não se conteve, arremessou longe o pedaço de pau com que flagelava o Judas, correndo em direção aos maquinistas e, puxando Fio Jasmim pelo braço, aflito perguntou:

— Você vai se casar?

Fio Jasmim atordoado com a pergunta, e pensando em Pérola Maria, respondeu que sim.

— Quando? — insistiu o menino.

— Brevemente! Já tenho casa, já tenho tudo. Falta só a noiva marcar. A marcação da data é dela.

O menino Gabriel nem escutou as últimas palavras do noivo de Angelina Devaneia da Cruz. Em poucos instantes, enquanto os três cavalheiros se encaminhavam para uma das poucas pensões locais, todos os alma-florenses ouviram dizer que o tão esperado havia chegado. Gabriel havia anunciado a boa nova.

Logo depois, Fio Jasmim, entre o susto e a gozação, ria de se dobrar, quando os dois maquinistas mais velhos lhe contaram o porquê da pergunta do menino. E agora? O que fazer? – perguntavam os três engasgados pelo riso, quando um deles recomendou que Fio Jasmim deveria manter a história. Jasmim se assustou. Mas como manter a história e se casar? Ele já estava de casamento marcado com outra. E, mesmo se não estivesse, ele nem conhecia a tal moça. Mais risos então. Onde estava a esperteza dele? Nada de se casar, pois essa burrice ele ia fazer com a tal de Pérola Maria. Com essa moça (se é que a moça era moça, conjecturou um deles), a daqui de Alma das Flores, é só entrar no jogo, na fantasia dela, pois ficariam somente uns quatro ou cinco dias na cidade. E, para a felicidade dele, aquela cidade não era um roteiro constante na escala de trabalho; quem viajava por aquela região era outra equipe de maquinistas. Se voltassem ali, seria somente uns oito ou nove meses depois. Então, ele já estaria casado com a joia dele e explicaria tudo para a de cá. E que Jasmim ficasse tranquilo, o pessoal da cidade era muito pacato, ninguém faria nada contra ele. Era só o moço aproveitar a ocasião como uma brincadeira de quem ainda era solteiro. Falado e dito. Fio Jasmim vestiu a camisa do jogo.

Quando Fio Jasmim, no principinho da noite, chegou à casa de Angelina Devaneia da Cruz, foi como se o sol retrocedesse e anunciasse um novo dia para ela. Angelina, que já esperava pelo amado desde a raiz do tempo, tinha tudo preparado, inclusive o controle das emoções. Aceitou com naturalidade a fala educada do moço, o olhar dele com curiosidade sobre o corpo dela e o convite do pai para que ele aparecesse lá na barbearia. Precisavam combinar os últimos arranjos para o casamento. Nesse ponto da conversa, o pai de Angelina procurando o olhar de Fio Jasmim, pediu a confirmação do moço, indagando se ele tinha vindo mesmo para o casamento. Se o barbeiro fosse um bom observador, teria notado que Jasmim havia gaguejado um pouco na resposta. A assinatura dos papéis ficaria para a próxima visita. Devaneia nada notou, e também não se incomodou com o fato de que as assinaturas ficariam para depois. O mais importante era que o noivo, o homem amado, havia chegado e nunca mais ela seria sozinha. Mesmo se ele não voltasse tão cedo, mesmo se voltasse mil anos depois, mesmo se a volta não acontecesse nunca, o importante era que ele estava ali, concreto, real, diante dela. A existência dele comprovava a existência dela. Quebrava o sentido do existir só, que ela vinha experimentando desde sempre. E durante quatro ou cinco dias de permanência de Fio Jasmim em Alma das Flores, a vida de Angelina foi outra, ganhou alma nova. A moça, esquecida de tudo que ela mesma já tinha gerado antes e sozinha, pensou que o seu teor fecundante viesse de uma virilidade externa e se entregou toda a Fio Jasmim. Ele, ávido de brincadeiras, aceitou. Às vezes, entre um gesto e outro do jogo, ao imaginar os dias futuros de Angelina, quando ele partisse e voltasse com a verdade a estragar a esperança dela, sua consciência lhe queimava um pouco. Mas havia aprendido que as ardências da consciência, em relação ao sofrimento que ele podia causar a uma mulher, passavam rápido. Era só desviar o pensamento para as ardências do corpo. Desviou. E na quase véspera da véspera de sábado, quando completaria uma semana ali em Alma das Flores, em que o Judas tinha sido malhado mais uma vez ao longo dos séculos, Fio Jasmim partiu com os outros dois cavalheiros.

Angelina Devaneia da Cruz na estação desenhou no vazio um beijo para o homem amado e acenou no ar um vago gesto. Algumas pessoas que assistiram ao último aceno de Angelina Devaneia não souberam traduzir se foi um sinal de despedida ou um chamamento para que o homem regressasse. E, enquanto Fio Jasmim e seus dois companheiros de aventuras nas trilhas da vida seguiam gargalhando da idiotice da moça e dos habitantes de Alma das Flores, dores aconteciam.

Setimazinha e toda a família lamentavam a desistência de viver de mais um ente querido. Devaneia havia descoberto, um pouco antes de Fio Jasmim partir, a realização enganosa de seus desejos de uma vida inteira. Aquele não era o amado dela. E por que então ele havia mentido tanto? Se ele tivesse dito não ser ele o esperado, ela sofreria sim, mas só na porta da entrada, na soleira da casa. Mas, como ele deixou que ela acreditasse, ela descansou toda a solidão em que vivera até aquele instante, no prazer da chegada dele. Para ela, bastava ele chegar para confirmar que o amor existia. Se o amado não ficasse, as bodas já tinham sido realizadas nela. O esposo viera um dia e estivera nela. À noite, em todas, poria o vestido de noiva e gozaria sozinha o prazer de um homem ausente, mas que um dia estivera nela. E não queria nada em troca. Viveria sozinha alentada pela certeza de que o homem amado existia. E agora o que fazer da vida se a sua espera havia sido conspurcada pela dúvida? Ela não tinha certeza de mais nada. Mas também não tinha dúvida de que a sua vida tinha chegado ao fim.

E já um pouco tarde da noite, quando Setimazinha voltava em grupo de uma festa da igreja, ao passar perto de uma ribanceira, ouviu gemidos que pareciam ser lamentos de mulher conhecida. Apurou os ouvidos e reconheceu o choro da mãe. Ela se lembrava perfeitamente da mãe no quarto escuro, embora ela fosse bem novinha na época do dilúvio interno de Dorinda da Cruz. Setimazinha reteve a imagem de uma mulher em lágrimas, soluçando, reclamando da claridade que fazia com que sua cabeça, seus olhos e sua vida se estourassem com tanta luz. Tudo era claro em demasia. A irmã mais nova da enfermeira Angelina Devaneia da Cruz perguntou se alguém estava escutando alguma coisa. Ninguém ouvia nada, só ela. Apertando os passos, chegou em casa procurando por Angelina; todas as irmãs estavam presentes, até o pai, menos ela. Em prantos, pediu que fossem buscar o corpo da irmã mais velha, lá embaixo, na ribanceira.

O episódio da procurada morte da enfermeira Angelina comoveu a cidade de Alma das Flores e adjacências. O último acontecimento trágico naquela região como esse tinha sido o da morte da mãe dela. Morte, também procurada. Só que a mãe de Angelina vinha morrendo aos poucos na tristeza que lhe acometera desde o nascimento da Setimazinha. A cidade esperava a desistência da mulher. As pessoas apenas se condoeram junto à família, mas não estranharam o fato quando o corpo de Dorinda da Cruz foi encontrado flutuando nas águas do Rio das Mortes. Com Angelina Devaneia não. Os que não sabiam do que havia acontecido com a moça não entenderam o porquê de ela ter desistido da vida no momento exato em que o amado chegara. E solenemente, em respeito à memória da enfermeira, tão competente, tão acolhedora, tão humana, um silêncio sobre a *causa-mortis* de Angelina misturou-se na dor da cidade. Ninguém nunca perguntou a razão da desistência dela em continuar a viver. Os que souberam do noivo impostor, motivo da desesperação da moça, buscaram esquecer a causa de tudo. E sem saber muitos ficaram. Em Alma das Flores, uma ignota pergunta nunca dita, nunca falada, haveria de pairar para sempre. Por que Angelina Devaneia da Cruz não teria suportado chegar aos trinta e três anos?

Fio Jasmim e os outros dois maquinistas tiveram notícias da trágica morte da moça. Por um minuto, não mais se penalizaram com o destino dela, para depois comentarem que ela parecia mesmo aluada.

E, não se sabe como, Pérola Maria, uma semana antes do casamento, soube que uma mulher perdidamente apaixonada por Fio Jasmim havia se matado por ele. Seus pais tiveram informações mais completas; porém, todas confusas. Relatos que mais pareciam ficcionais andavam de boca em boca. Um misto de ficção e verdade. Qual dose seria maior?

Difícil afirmar. Portanto, o melhor era crer no que estava sendo dito. A mulher que abraçara a morte, era bem mais velha do que Jasmim, morava no interior do estado, numa cidade chamada Vale das Almas. Era fazendeira e cultivava terras e terras de laranjais. Tivera um filho com ele, mas, como não precisava de Fio Jasmim para nada, nunca permitiu que o menino conhecesse o pai. O garoto talvez fosse completar uns três anos. Essas conversas a respeito do noivo da filha irritaram profundamente os pais de Pérola Maria. A confiança estava abalada. Com muito cuidado, orientaram a filha dizendo que um casamento se desmanchava até na porta da igreja. Pérola preferiu classificar todas as informações como um nocivo disse-que-me-disse, inveja de outras mulheres que desejavam estar no lugar dela.

**AURORA CORREA LIBERTO**, essa, já não acreditava no juízo de Fio Jasmim e, por isso mesmo, cultivava uma cálida paixão pelo moço, à distância. Ela gostava das pessoas ditas sem juízo, pois desde criança fora reconhecida como tal. Sem juízo, desmiolada, descabeçada, aluada... Crescera recebendo surras das mulheres e dos homens de sua família, e tudo porque ela não perdia o hábito de tomar banho sem roupas nas águas do Rio Naipã. A questão não era a nudez nas águas, mas o descuido dela, afirmavam as mais velhas da família. Era Aurora atravessar o povoado, caminhar uma longa distância até chegar em Naipã, que uma plateia de homens ia antecipando as sensações de prazer atrás dela. Aurora seguia em frente, como se os seguidores não existissem. E, quando as águas recebiam a nudez da moça, a correnteza se avolumava em festa. Era como se estivesse banhando um sagrado corpo. E um espetáculo cá fora, nas margens, também acontecia instituindo um conflito para o olhar. O que contemplar? Apreciar o quê? A molhada nudez do corpo de Aurora? Ou se entregar à contemplação de quem assistia à cena da moça nua dentro d'água? O espetáculo era dentro do rio ou fora, em suas margens? Buscar o corpo nu de Aurora nas águas ou buscar o olhar de quem olhava para ela? Dolorosa escolha. Entretanto, talvez o mais angustiante fosse contemplar os homens com os olhos perdidos de si mesmos. Na contemplação do corpo de Aurora, bem inatingível, era como se eles perdessem a centralidade do mundo. Esqueciam-se, uma só presença importava, um universo existia para além deles e que, desesperadamente, eles queriam tocar. Não se viam mais, assim como o mundo ao redor se tornava ausente. Só uma mulher nua, dentro da água, existia. Caso Aurora estivesse se afogando, creio que eles nem perceberiam os gestos de pedidos de socorro da moça. Eles só viam um corpo livre de mulher, tão livre quanto as águas que banhavam a nudez dela. E a cena era um desconserto para quem quisesse segurar um corpo que boiava vivo, sozinho, liberto. Nada, quem contemplava cá de fora podia fazer. Somente olhar em desespero de quem deseja tocar algo e se sente inerte, pois nenhum gesto é possível para alcançar o objeto desejado. Era tão profundo e tão buscador o olhar de quem desejava fixar todos os sentidos na moça, que, no exercício de querer ver, os olhos maravilhados dos homens choravam, choravam... Sim, os olhos deles vertiam águas, e também seus membros eretos, na distração da cena, se tornavam gotejantes. Dolorosos gozos eram lançados à beira do Rio Naipã. Homens tão duros, vida afora, naqueles momentos, se faziam em águas também. Ali se tornavam amolecidos, molengos, trespassados de tanto prazer.

Havia mulheres que também assistiam à nudez de Aurora. Nelas a contemplação parecia mais calma. Em dado momento se percebia um leve e recatado tremor em suas pálpebras, seus olhos como espelhos refletiam a imagem do corpo-água de Aurora e delas próprias. E então, discretas e ternas como se estivessem alisando as pétalas de uma frágil flor, timidamente e em silêncio passavam as mãos em suas entrepernas. Tudo em remanso, na quietude de um proibido gozo que se precisa sozinho e inaudível. Deste modo, as mulheres se davam em Aurora, inundando em si próprias, pois, como a mulher sobre as águas, elas eram matéria aquosa também.

    E assim vivia Aurora, desde que nasceu. Desmiolada, sem juízo, sem roupas, nua, nas águas do Rio Naipã. Dizem que com o tempo o juízo foi visitando a moça, mas pouco era a ocasião da prudência, logo-logo o desvario, segundo sua família, se mostrava novamente. Não tomava mesmo jeito. A tenência não se fazia nela, nem o atributo da sensatez. O tino não ficava o suficiente, para que Aurora ensaiasse uma vida como todas as mulheres da cidade. Pensasse em arranjar um namorado, casar e ser quase feliz. Surras, janelas e portas trancadas, para que Aurora não irrompesse o tempo de prisão e se encaminhasse em direção ao rio, não produziram resultado enquanto ela era menina. Depois, já mocinha, também não. E, à medida que ela foi ganhando corpo de menina-mulher, mais difícil ainda se tornou qualquer controle dos passos dela em direção ao rio. Seus desejos de saída para as águas se impunham. Só queria as águas. Uma virtude a moça tinha. Era de muito recato, não era namoradeira e até tímida era, afirmavam os seus familiares. E assim a família foi se despreocupando pouco a pouco do hábito de Aurora se despir para as águas do rio. As mais velhas da família foram afrouxando as amarras, à medida que a menina crescia. Aurora estava sendo o que ela deveria ser, vivendo uma condição que era dela desde o nascimento. Não se podia esquecer que a menina tinha o juízo frouxo. E tudo era devido à moleira dela, que não se havia fechado quando a criatura era bebê. Nada poderia ser feito. Não dava para amarrar tenência nas atitudes delas. Foi então que Tia Prudência, uma das tias mais velhas da família, resolveu emitir bem alto a sua opinião, que era sempre bem-vinda e necessária. A menina crescia sem juízo sim. Era um risco oferecido aos homens, como todo mundo dizia. E os homens, todos eles tinham moleiras abertas? Nenhum tinha juízo para respeitar uma mulher nua que só queria saber do prazer das águas? Parece que sim, homem algum tinha temperança! Ninguém, nem as mulheres que eram atacadas, se voltavam contra eles. Por que tinham de atormentar só a menina? Essa mesma tia, a Prudência, ensinou um golpe de defesa à Aurora. Já que ela gostava de tomar banho sem roupa nas águas do rio, que ficasse atenta então. Quando qualquer atrevido chegasse perto, que ela tivesse então gestos de concordância com a pessoa, e que, brincalhona, saísse do rio, de modo que o infeliz fosse atrás. E buscando distrair o engraçadinho, mirasse a haste que ele trazia entre as pernas. Podia ser até que ela estivesse ereta. Continuasse então nos jogos de sedução. E de repente, traiçoeiramente, mandasse rápido um pontapé ou uma joelhada no entrepernas do sujeito. Assim Aurora fez, em certa ocasião, quando o ato se fez necessário. Um dia um sujeito entrou nas águas da moça, querendo pegá-la. Ela nadou mais distante e mais, o homem saiu molhando desejos atrás dela. Ela se lembrou dos conselhos de Prudência. E assim-assim, ela veio devagar. Veio negaceando, seduzindo, sorrindo maldosa, molhada como se estivesse respigando desejos pelo sujeito. E, em questão de segundo, o sorriso gozoso dela se transmutou em ira. Um chute no meio do bem abaixo da barriga dele driblou qualquer gesto que o homem pudesse ter. O sujeito acarinhou em desespero a haste machucada e uivou de dor. Dizem até que, a partir de então, a haste do moço nunca mais se endireitou. Murcha e dolorida passou a verter um líquido sanguinolento e fedido. E o sujeito se tornou um ser desprezível, a ponto de não conseguir nem comprar o prazer. Mulher alguma queria um contato com ele. Não se sabe como a história se espalhou pelo povoado, causando envergonhamento ao rapaz. Dizem que foi a Tia Prudência que contou sobre a haste estragada do sujeito, que desrespeitou o banho da mocinha, querendo bulir com ela. Aurora podia ser desmiolada sim, ou até não era. E, mesmo se fosse, por que o moço achava que podia se apossar dela, se não tinha sido convidado? Ela não queria, ela não queria! Estava nua nas águas do rio e para o rio era a sua nudez. Que a deixassem em paz, em paz. Nunca mais ninguém se atreveu a se aproximar dela sem ser convidado. Olhavam e urdiam os seus prazeres de longe, alguns quase que envergonhados pela fraqueza da carne. Outros, como audaciosos machos, achavam que não precisariam e nem conseguiriam se educar. Eles eram homens, homens!

Sendo assim, quando Aurora Correa Liberto soube que o trem Vapor Azul chegaria à cidade, pouco se importou. A chegada ou a saída do comboio nada interferia na vida dela. Aurora sempre conseguia ficar alheia ao entorno, inclusive à falação da família. Quando era menina, apanhava do pai, da mãe, do irmão mais velho e das tias. O motivo, sempre o mesmo. As idas ao rio para banhar-se nua. Doíam as pancadas, mas as águas do Naipã lavavam todas as feridas. Depois, como já foi dito, acabaram deixando Aurora e seu banho por conta dela própria. Portanto, se o trem chegasse ou saísse, ela não se dava por isso. Sua rotina não seria quebrada pela chegada dos maquinistas e seu auxiliar, o moço bonito, no vilarejo. Demorariam por alguns dias, três ou quatro talvez, mas, com a vida dela, em nada isto mexeria.

Quando o trem Vapor Azul parou preguiçoso sobre os trilhos da pequena estação da Vila Azul, tudo ao redor gozava da calmaria de sempre. Tudo azul. Tudo *blue*. O vilarejo era conhecido como Vila Azul, dada a abundância de *agapan-thus* existentes nos jardins da cidade. A flor azul, também conhecida por lírio africano, florescia milagrosamente na pequena vila, desde as cercanias das linhas férreas até ao adro da minúscula capela local, assim como em volta das tumbas no cemitério e na estradinha que levava à única escola do povoado. E por essa profusão de azul a inundar a natural ambiência da vila, segundo as visões dos moradores, o trem quando apontava lá longe vinha com um tom azulado e assim chegava também. Era o Vapor Azul irrompendo o anilado espaço do lugarejo *blue*.

À tarde, quando o Trem Azul se avizinhava do povoado em que deveria fazer parada, o maquinista chefe avisou que a estadia ali seria muito curta, dois dias somente. Pouca mercadoria seria deixada ali, e o recolher do que deveria ser levado, seria breve também. Era uma tarde de terça--feira; portanto, na quinta-feira, no mesmo horário, eles deixariam Vila Azul, em direção à cidadezinha conhecida como Remanso Velho. Também nada de especial havia em Vila Azul, a rua de mulheres tinha umas zinhas, que não praticavam nenhuma novidade na cama. O que poderia ser interessante, caso a moça fosse fácil, seria cobrir com o corpo a nudez de uma tal Aurora, que tomava banho pelada nas águas do Rio Naipã, o único da cidade. Mas a tal moça era mesquinha. Ela não dava nada de sua nudez, a não ser permitir ser vista; porém, ignorando os olhares de quem ficava de cá de fora do rio, espiando o corpo dela. E que Fio Jasmim tomasse cuidado, pois diziam que a moça, um dia, machucou as partes machas de um homem. Ele, afoito, quis bulir com ela, entrando no rio, nos momentos em que as águas eram todas dela. Dizem que a moça dominou o sujeito dentro d'água mesmo. Arrastou o homem para fora e, com o coitado deitado no chão, sapateou em cima do membro e dos ovos do infeliz. Falam ainda que nunca mais ele foi alguém. Depois desse acontecimento, ninguém mais bulia com a moça dentro d'água, nem fora. Muitos homens olhavam, algumas mulheres também, mas só olhavam. Olhavam muito, comiam a nudeza dela com os olhos. E ela não dava o menor sinal se gostava ou não.

Fio Jasmim ouviu atenciosamente as recomendações do maquinista chefe quanto ao horário da partida, dois dias depois da chegada. A história e os conselhos para evitar aproximações com Aurora serviram apenas para despertar curiosidade e desejo dele em experimentar as tais águas da moça. Para ele pouco importava se sua sede podia ser ou não proibida, o que valia era saciá-la. Com a garganta seca de tanto desejo e sentindo como se estivesse em um deserto, cujo oásis estaria próximo, Fio se encaminhou para a casinha pensão, lá largou os seus poucos pertences e se encaminhou para o Rio Naipã. Sabia que chegaria ao oásis, dependia tão somente de achar o caminho. Soube que naquela manhã Aurora já tinha ido ao banho, pois uma procissão de marmanjos e algumas poucas mulheres a tinham acompanhado em direção às águas. No anseio de aplacar o desejo, Fio Jasmim seguiu. Quando chegou à margem do Naipã, viu uma moça vestida, mas as roupas dela estavam úmidas e agarradas ao corpo, deixando entrever a sua molhada beleza. Jasmim se lembrou das várias namoradinhas que já tinha tido, mas a imagem mais nítida era a de Pérola, a sua primeira escolhida.

Aurora percebeu o moço bonito que acabara de chegar, parecia um príncipe. Quis entrar novamente no rio e permitir que ele viesse com ela. Entretanto, teve preguiça de se desnudar outra vez e tomou o caminho de regresso à casa. O cortejo acompanhou igualmente o retorno dela. Fio Jasmim também.

No dia seguinte, antes mesmo do café da manhã, o jovem auxiliar de maquinista, o moço bonito, se adiantou e se encaminhou para o Rio Naipã. Saiu antes de Aurora e de seus seguidores. Quando a moça chegou com a sua prometida nudeza, Fio Jasmim já estava sentado em uma das margens, esperando por ela. As outras pessoas vigilantes pararam à distância sem que ela tivesse o menor gesto, que demonstrasse saber da presença delas. Entretanto, Fio Jasmim foi convidado para o gozo das águas. Só ele. Muitos e imensos banhos aconteceram pela manhã inteira e pela metade da tarde. As águas do Rio Naipã aumentaram de volume, tanto foi em abundância o líquido sêmen escorrido do corpo dele, já que tudo nem cabia no corpo dela. E tudo era maravilhosamente nu.

No outro dia, para o qual estava marcada a partida, Fio Jasmim se dirigiu novamente para o Naipã, mas, antes, contou toda a façanha do dia anterior para os maquinistas mais velhos. Todos se rejubilaram com a façanha do moço e se colocaram no lugar dele. Quase experimentaram o prazer, somente ao escutarem o relato sobre corpos molhados recebendo a umidade prazerosa um do outro. Desejosos por saber de mais façanhas, incentivaram a partida rápida do rapaz. Era preciso que Jasmim chegasse novamente antes da moça, para que tudo ocorresse a contento.

Fio Jasmim mais uma vez surpreendeu o tempo de Aurora, despertando antes dela e se encaminhando para o Rio Naipã. A moça também estava ansiosa pelo encontro. Tão ansiosa, a ponto de começar a se despir, antes mesmo de atingir a beirada do rio. Olhos espiões também anteciparam o plantão, cedo iniciaram o deleite olhando a nua sereia negra. Entretanto, não se sabe se por ciúmes, se por inveja ou se por respeito, os vigilantes de sempre não suportaram por muito tempo contemplar os dois. Logo abandonaram a olhação, buscando o caminho contrário à chegada ao Rio Naipã. Voltaram para casa com os olhos vazios e os corpos carregados de desprazer e decepção.

Enquanto isso, outras águas, as gozosas, banhavam os corpos de Aurora e de Fio Jasmim. E tudo consentido. Das águas, a concordância foi tal, que, por vários instantes, elas silenciaram o líquido murmúrio, para ouvir os gozosos e molhados suspiros dos dois. Foi dentro d'água também, na brincadeira em que ela tentava afundar o corpo dele e vice-versa, que Aurora, ao tocar a cabeça de Fio Jasmim, descobriu algo. Ela sentiu um leve vazio, um ligeiro afundamento no crânio de Fio Jasmim. Nada visto, apenas sentido com as pontas dos dedos, tendo a sensação de que havia um vazio na crespa e molhada cabeleira do moço bonito. E não era falta de cabelos, era uma ausência mais profunda. Aurora pensou que podia ter sido um engano tátil, de uma sensibilidade excessiva das mãos. Sorrindo, então, ela pegou a mão do moço bonito e lhe pediu que ele tocasse o alto da cabeça dela. Ele assim o fez. E, ao sentir o quase imperceptível e macio afundamento da cabeça dela, Jasmim riu e riu. Ela também! Descobriram-se. Tinham a moleira aberta, eram ambos sem juízo.

No rio, apesar de as águas fluírem sem retorno, nem Aurora e muito menos Fio Jasmim perceberam a passagem do tempo. A tarde acabou de entardecer, ganhou a maturidade e o tempo se fez noite, sem que os dois lembrassem que a vida existia para além deles. E, de repente, Jasmim foi tomado por um calafrio. Foi como se tivesse escutado o chamamento de seu nome, lá longe. Vinha em um tom que lembrava um apito de trem. Foi quando se lembrou de voltar ao trabalho. Era noite. O que havia acontecido com as horas que passaram sem qualquer aviso?

Tarde da noite, na pensãozinha da Vila Azul, dois maquinistas adultos chamavam severamente a atenção de um jovem ajudante. Ele, de cabeça baixa, lamentava e pedia desculpa pelo ocorrido. Os antigos funcionários, atordoados, perguntavam ao mais jovem, sem obter resposta alguma, como explicar para a chefia central que o trem sairia de Vila Azul com um dia de atraso? Tal falta podia gerar uma dispensa para todos eles. Fio Jasmim havia se portado como um sujeito sem responsabilidade alguma. Por causa de uma mulher, punha o trabalho da equipe em perigo. Como explicar para a superintendência dos trens? Como explicar o atraso para o povo de Remanso Velho? Há muito que o trem havia deixado de transportar pessoas, aquela viagem reiniciaria parte de uma antiga tarefa da CFN, levaria passageiros de Vila Azul para Remanso Velho. De tarde, algumas pessoas aguardavam na estação; os maquinistas não conseguiram criar justificativa alguma sobre a não saída do trem. Estavam em apuros. Jamais imaginaram que Fio Jasmim fosse um cabeça mole, um sem-juízo. E pela primeira vez, em quase cem anos de operação, a CFN, Companhia Ferroviária Nacional, responsável pela ligação férrea de várias localidades do país, tinha falhado por erro humano. Máquinas estragam, trilhos partem, ribanceiras despencam, águas invadem estações... Homens não podem falhar, não podem perder a hora e, se adoecerem, devem avisar antes para serem substituídos ou então trabalhar doentes, para morrerem segundos depois, ao deixarem o posto de trabalho. Como Fio Jasmim cometera tamanha irresponsabilidade? Aquilo não era papel de homem, não era... E essa foi a única vez, em toda a carreira profissional de Fio Jasmim, em que ele perdeu a hora de trabalho. Ele sabia o tamanho de seu erro. Seu pai, seus tios, seus primos mais velhos, todos os homens de sua família eram homens de trabalho. Homens de ferro, de barro não, pois barro quebra...

Aurora Correa Liberto, desde que se banhara com Fio Jasmim nas águas do Naipã, percebera que a correnteza não lhe trazia mais um apaziguamento completo. Uma quase dor, de uma quase saudade, passou a existir nela. Quando esse sentimento do quase bulia nos dias de Aurora, e algum visitante novo, ávido por banho, chegava à cidade, ela permitia que ele alvorecesse nas manhãs dela. Esses encontros esporádicos aquebrantavam um pouco o desejo, a quase saudade que ela parecia sentir de Fio Jasmim. Às vezes era ele mesmo que chegava, uma ou duas por ano, renovando lembranças lá de dentro das águas. Desse modo, era impossível a memória do corpo da moça produzir esquecimentos em relação ao moço bonito, ao mais jovem dos maquinistas. E assim Aurora Correa Liberto cultivava uma cálida paixão por Fio Jasmim, à distância, cuidando-se sempre.

**ANTONIETA VÉRITAS DA SILVA** era conhecidíssima em Remanso Velho. Se os dois maquinistas não estivessem amofinados com o comportamento de Fio Jasmim, teriam falado sobre a mulher com ele, durante a viagem. De Vila Azul até Remanso Velho, o trem seguiu direto durante um dia e meio, sem dar descanso às rodas. Durante todo o trajeto, os dois maquinistas, sempre paternais com Fio Jasmim, se limitaram a falar, com ele, só as ordens de comando. Estavam deveras preocupados e chateados com o moço. Precisariam explicar os motivos do atraso para o chefe da estação local e deveriam ainda mandar explicações para a chefia regional, e essa por sua vez, deveria notificar a gerência nacional. Os poucos passageiros, que estavam experimentando a retomada do serviço de transporte de pessoas, reclamavam do atraso da partida do trem. Atraso não, suspensão da partida que deveria ter acontecido no dia anterior. Fio, arrependido de sua irresponsabilidade, intimamente prometia a si mesmo não se envolver com nenhuma mulher daquelas paragens.

Assim que a locomotiva parou, Fio Jasmim, cá fora da estação, olhou a paisagem em torno e se sentiu bem com o que viu. A cidade de Remanso Velho em nada diferia das paradas anteriores, mas era bom apear. Descer era sempre encontrar algum corpo de mulher para experimentar o sabor da cidade, assim diziam os maquinistas mais velhos. Fio quis apagar o pensamento sobre encontro com mulheres. O propósito dele, depois de ter falhado com as obrigações do trabalho na parada anterior, era não conhecer mulher alguma por ali. Corpo-mulher, corpo-cidade, se tudo era uma coisa só, segundo os mais velhos, ele sairia de Remanso Velho em estado de total ignorância. Para seus instrutores de trabalho e viagem, a paragem era boa, a partir dos acontecimentos na zona de mulheres. Brincavam entre eles que as cidades não precisavam de igrejas, só de zonas e mais zonas de mulheres. E riam como se estivessem vislumbrando e apregoando a maior verdade do mundo.

À noite, depois de se ajeitarem na única hospedagem de Remanso Velho, ainda sisudos, chamaram Fio Jasmim e se encaminharam ávidos para o maior botequim do lugar. Lá, velhos moradores aguardavam por eles, para descreverem os bons recantos do vilarejo. E um dos bons recantos de Remanso Velho, afirmava um velhinho de olhos espertos e de apagada voz, é um lugar-corpo. Um corpo desejado e desconhecido pelos homens do lugar, o de Antonieta Véritas da Silva. E, como se falar da mulher fosse experimentar o corpo dela, o falatório seguia acompanhado de indiscretos movimentos dos homens a coçar seus entrepernas. A imaginação que faziam dela era tal que as conversas se atropelavam umas nas outras. Era uma falação que parecia uma disputa de voz, uma briga para querer dizer. Gestos e chapéus irrompiam os ares como se tivessem vozes e opiniões. Garrafas e copos vazios a encherem novamente tilintavam nas mesas, enquanto um nome era repetido desencontradamente na roda: Antonieta Véritas da Silva. E em meio a toda a falação se entendia que estavam falando de uma mulher muito bonita, com um corpo de uma belezoca, jamais vista. Homens jovens e velhos faziam de Antonieta Véritas da Silva a pessoa mais famosa do lugar, ou, melhor dizendo, ela era a única pessoa famosa de Remanso Velho. Dela se inventavam mais histórias do que sobre os três ricaços fazendeiros da cidade. Falavam mais dela, também, do que do padre local, que tinha fama de mulherengo. O comportamento do vigário já nem era mais julgado. A cidade inteira sabia que Padre Hipócrates feria prazerosamente o juramento de castidade, que fizera um dia. Os homens eram respeitosos e complacentes com ele. As mulheres eram mais rigorosas, principalmente as solteiras. As casadas sempre iam à casa paroquial se confessar, era mais tranquilo do que na igreja, diziam. Muitos eram os pecados, pela demora da confissão, insinuavam as pessoas debochadas e menos fervorosas. Diziam inclusive que o padre, de vez em quando, visitava a mulher, para receber a generosa quantia que ela oferecia para a igreja. Contudo, era o nome Antonieta Véritas da Silva o mais proclamado nas mesas dos bares e nas conversas, escondidas dos pais, que os jovens adolescentes mantinham com os amigos.

 Ao ouvirem tantas vezes as mesmas imaginações sobre o corpo-maravilha de Antonieta, os maquinistas riam e riam dizendo que já conheciam a história. O único que recebia as informações como novidade era Fio Jasmim. E, esquecido do propósito anterior de não procurar mais mulheres nas cidades aonde chegasse, quis logo saber onde era a zona. Queria conhecer a bendita Antonieta. Seu corpo já sentia certa aflição. E os dois mais velhos, já esquecidos do malfeito de Fio Jasmim, riam batendo no ombro do jovem, dizendo que não se tratava de zona não. A mulher não era de zona e sim da casa, do lar e dos filhos, que estudavam internos. Raramente saía de casa. Nas férias escolares e por ocasião do Natal, era vista no comércio, sempre com eles. Uma mocinha aparentando ter uns treze anos e mais dois meninos. Um que poderia ter uns onze, e o outro talvez tivesse uns nove. E as especulações sobre a vida de Véritas continuava. Seria viúva de algum homem rico? Quem seria o pai de seus filhos ou quem seriam os pais? Era uma mulher livre e de posse. Se quisesse, poderia receber quem ela bem entendesse. Antonieta Véritas da Silva era gentil, educada, cumprimentava quem cruzasse com ela, em suas incomuns saídas, mas não passava de poucas palavras e de um discreto sorriso. Era preciso ter sorte, pois não era fácil cair na simpatia dela.

Esquecido da última falha que cometera perdendo a noção das horas nas águas do Rio Naipã, Fio Jasmim se encaminhou esperançoso para a casa de Antonieta Véritas. Esperava ser recebido por ela, mesmo sem se fazer anunciar anteriormente.

Quando Fio Jasmim bateu à porta da casa de Antonieta Véritas da Silva, teve de controlar a vontade de rir, ao relembrar as conversas do dia anterior sobre ela. Entretanto, assim que a porta abriu, não foi preciso grande esforço para segurar o riso, dada a seriedade estampada no rosto dela. Por uns segundos, Fio Jasmim ficou sem saber o que fazer. Ela apenas fez um gesto para que ele entrasse e, sem dizer nada, fechou as portas, indicando-lhe um lugar para que ele se assentasse. Jasmim, que mal tinha conseguido balbuciar um cumprimento de boa noite, conservou-se mudo. Antonieta Véritas, segura de si, quebrou o silêncio, perguntando o que ele desejava. Observou ainda que nunca o havia visto na cidade, mas ela mesma completou a observação dizendo que saía pouco, poderia ser essa a causa. Fio Jasmim, meio trêmulo, olhava a mulher somente nos olhos, sem ter coragem de contemplar todo o corpo dela, embora desejasse. Ele, que era tão falante, tão zombador, como os outros maquinistas, quando se punham a falar das mulheres, não encontrava uma palavra sequer para se dirigir à Antonieta. Ela, enquanto esperava o rapaz lhe responder alguma coisa, olhava com intensidade o rosto dele, se fixando na boca. Durante um momento pareceu que ela lhe sorriu, Fio Jasmim entendeu como uma permissão, para que ele se aproximasse mais dela. Em desejos sonhou com abraços e repentinamente quase encostou-se a ela. Antonieta Véritas recuou no espaço. Apesar do recuo, nenhum desgosto, nenhum sinal de constrangimento apareceu em seu rosto. Atordoado, Jasmim pediu um copo d'água. Mais tarde lhe foi oferecida uma xícara de café, uma espiga de milho assada e, no final da visita, um copinho de licor de jabuticaba. Ao sair, informou à Antonieta que ficaria ainda mais uns quatro ou cinco dias na cidade. E sem rodeio perguntou se poderia voltar em uma das noites qualquer. Ela respondeu sorrindo que a vontade era dele e que, então, só ele poderia decidir pelo retorno. Fio Jasmim saiu da casa de Antonieta sem entender se ela tinha aceitado uma nova visita dele ou não. Voltou para a hospedagem carregando uma impertinência viril em um lugar exato do corpo.

Enquanto isto, sozinha em seu quarto, sonhando que a sua solidão seria desfeita um dia, Antonieta Véritas da Silva imaginava a chegada de um homem, pelo qual ela se apaixonaria, sem reserva alguma. Tamanha seria a paixão, que ela chegaria ao ponto de querer viver com ele. Um homem que fosse capaz de adivinhar e atender os desejos dela, na hora em que ela entregasse o seu corpo para ele. Um homem que tivesse uma língua leve-leve como uma penugem e brincasse suavemente em seus lábios, até alcançar o céu de sua boca. E depois atingir com cuidado todas as fendas de acolhimentos que o corpo dela possuía e que ela gostaria de oferecer à pessoa amada. Este homem existiria? Se existia, não era o pai de sua filha mais velha, nem o que veio depois, cheio de promessas amorosas que resultaram nos dois meninos homens que ela tivera. Este homem existiria? Poderia ser esse que aparecera inesperadamente na casa dela?

E só na véspera de o trem partir da cidade foi que Fio Jasmim, depois de ouvir várias caçoadas dos maquinistas, resolveu voltar à casa de Antonieta. Não era possível, diziam os dois rindo e piscando maliciosamente um para outro, que o moço Jasmim ia sair da cidade sem experimentar nenhuma mulher. Ia sair à míngua... Que tipo de homem ele era? Já estava negando fogo? Tão jovem assim...

Na segunda visita de Fio Jasmim à casa de Antonieta Véritas da Silva, tudo aconteceu diferente da primeira visita. Ele, mais desinibido, pôde perceber como a mulher era bonita, muito mais do que ouvira falar sobre ela. Muitas perguntas lhe vieram à mente, mas ele preferiu não perguntar nada. Falou um pouco dele, disse que era morador da cidade de Chegada Feliz, pensava em casar um dia (Fio já estava de casamento marcado com Pérola Maria) com uma mulher que lhe fizesse bem noite e dia, uma mulher que pudesse ser o seu remanso e que lhe desse muitos filhos. Ilusoriamente, Antonieta pensou que poderia ser ela, mas muitos filhos ela não queria, nem mais um. Quanto a ser remanso na vida de um homem, ela queria e podia. Entretanto, ela também esperava que ele fosse quietação da dor dos dias vazios de afeto, em que ela vivia desde sempre.

E foi tão ardorosa a entrega dos dois, que Fio Jasmim, ao narrar o recente encontro com Antonieta, provocou conhecidos desejos nos maquinistas. E, mais tarde, os dois homens, cada qual em seu quarto, na solidão da noite se arderam também em desejos que foram apaziguados com as mãos.

    Anos depois, talvez uns sete após o encontro de Antonieta Véritas da Silva com Fio Jasmim, uma mulher tida como independente e de posse comprou uma casa na cidade conhecida como Chegada Feliz. Uma habitação considerada como a mais bem arrumada do bairro, a começar pelo jardim. Ali floresciam várias flores, os jasmins pareciam dançar em tempos de vento. Ali a dona da casa passava longa temporada, vinha sempre com os filhos. Uma moça feita, dois rapazinhos e um menino menor chamado pela família de Jasminzinho. Um dia, sem quê nem por quê, a solitária mãe daquela família anunciou que Jasmizinho, o seu caçula, era filho de Fio Jasmim. As pessoas que ouviram as palavras emitidas por ela, e as que ouviram dizer o que ela tinha dito, acreditaram. Pérola Maria não! O menino tinha uns sete anos e, fazendo as contas do tempo, se chegava à conclusão de que sete anos e meio atrás Fio Jasmim já estava de casamento marcado com ela. Ela já era a Pérola que Fio tinha escolhido.

**DOLORES DOS SANTOS**, nascida e criada na cidade de Ardência Antiga, quando conheceu Fio Jasmim já tinha muitas desconfianças sobre a sinceridade dos homens. Fingia acreditar nas declarações, nas juras de amor deles e mentirosamente também fazia as suas. Diziam que ela, quando queria, trazia os homens na palma das mãos. E eles, mortificados pelo amor devotado a ela, perdiam o elã, a rigidez característica de seus corpos e, como fantoches, seres de pano, recebiam qualquer comando dela, sem se opor.

Dolores tinha uma especialidade, que deixava os homens admirados ou, quando muito, irritados e invejosos dela. A mulher conhecia, a olho nu, pedras preciosas, mesmo em estado bruto. Esse raro conhecimento ela aprendera com a sua mãe, Maria da Cruz dos Santos. A mãe de Dolores, por sua vez, alcançara essa sabedoria observando o labor de seu pai, Belizário dos Santos, o avô de Dolores. Conta-se que o homem teria vindo de terras estrangeiras com alguma economia e se metera pelo interior adentro do país, em busca de rios que lhe dessem ouro. Não deu sorte com o ouro, mas encontrou terras de onde nasciam pedras preciosas. Assim o avô de Dolores dos Santos construiu uma fortuna, se tornando o homem mais rico da cidade. Não somente o mais abastado, mas também aquele que impulsionou o comércio de pedras preciosas em Ardência Antiga.

Quando o velho Belizário morreu, a fortuna ficou para a sua única filha, Maria da Cruz dos Santos, a mãe de Dolores. Cruz dos Santos recebeu de bom grado a fortuna do pai. Havia anos que os dois não se falavam, embora morassem na mesma casa. O pai passou a ignorá-la, desde que ela engravidara do namoradinho, causando um grande escândalo na cidade. A filha do homem mais rico de Ardência Antiga estava grávida, e ainda de um Zé Ninguém. Belizário ameaçou matar os dois. A mulher dele, Hermengarda dos Santos, considerada até então uma mosca morta, ganhou ferrão e se colocou como a abelha rainha, aquela que extermina o zangão. E em tom de raiva, contida durante anos e anos, a mulher relembrou ao homem que era ela que preparava a comida dele. Nada aconteceu. Maria da Cruz dos Santos, com quinze anos, guardou Dolores no ventre, até o momento exato de a menina nascer. O namoradinho dela, porém, nunca mais foi visto na cidade. Ninguém mais soube dizer algo sobre ele, nem a família do rapaz. E, durante muito tempo, Belizário servia o seu próprio prato e exigia que a mulher comesse, antes, umas colheradas. E não bebia um gole de água ou café, sem que ela bebesse um pouco primeiro. Evitava cruzar com a filha dentro de casa e na rua também. Entretanto a mãe se cumpliciou com a sua menina-mulher, não só guardou a barriga da filha, assim como foi também amparo para a neta. E assim Dolores dos Santos cresceu amparada pelo amor desmesurado da avó e da mãe. As duas mulheres se constituíram como forças neutralizantes do desprezo com que o avô recebeu a filha de sua filha e preencheram o vazio da imagem de um pai, que ela nunca soube como construir.

Velho Belizário morreu depois da mulher dele, aquela pela qual ele temia ser envenenado e cuja morte ocorrera no ano anterior. Quem cuidou dele foi a filha, Maria da Cruz dos Santos. Filha que ele repudiou, desde o momento em que ela engravidara solteira. Dolores dos Santos, na época do agravamento da doença do avô, tinha uns treze anos e só então pôde ver o homem de perto. Até então, ele se recusava a ver de perto a neta, que morava no mesmo casarão, mas na outra extremidade. Desde pequena, a mãe ensinara à Dolores dos Santos que ela deveria evitar encontrar com o "Senhor" da casa. Não poderia entrar em determinados recintos, como na grande sala, onde eram recebidas as visitas; não poderia transitar pelo terreiro em determinados horários; não deveria chamar pela avó sem antes consultar a mãe, para saber se podia. Quando a Vó Hermengarda faleceu repentinamente, Dolores desejou que o acontecido fosse com o avô. Não só ela teve esse desejo. A mãe dela também. Em pranto, Maria da Cruz dos Santos perguntou revoltada o porquê de a morte não ter levado o pai Belizário e não ter permitido à mãe Hermengarda continuar viva com ela. Filha e neta não tinham motivos para gostar do homem. Se a filha não tinha razão para gostar do pai, a neta por que cultivaria afetos pelo avô? Bom mesmo eram os bens que ele deixaria para a mãe dela.

Com a morte dos seus, primeiro a da mãe Hermengarda e depois a do pai Belizário, Maria da Cruz dos Santos, mãe de Dolores, era a única herdeira. Tornou-se proprietária do casarão, da loja de joias, de um terreno de extração de pedras preciosas e de uma caixa de joias que pertencera a Hermengarda, mas que a mulher nunca tinha usado. Uma razoável fortuna garantia uma vida fastuosa para as duas, ela e a filha. Entretanto, os hábitos delas pouco mudaram. Uma comida mais variada passou a ser servida para as duas, para as pessoas empregadas da casa e dos negócios. Vozes e cantigas surgiram preenchendo os velhos silêncios da habitação. Maria da Cruz dos Santos nunca mais se envolveu com homem algum. O primeiro namoradinho, pai de Dolores, era uma lembrança dolorida e concretizada no tempo e em seu corpo. Ele tinha lhe deixado uma filha e eternos dias vazios, sem qualquer espera de amor ou de prazer. Entretanto, Da Cruz se alegrava com a filha Dolores; a menina era namoradeira. Rapazinhos e até homens já graúdos se interessavam por sua filha. Ela dava atenção para eles, considerava-os, amava um de cada vez e depois seguia sozinha. Havia alguns que não aceitavam a despedida, sempre proposta por Dolores. E ficavam atrás dela suplicando restos, pedaços de sentimentos. A mãe de Dolores perguntava se a filha cria nos amores dos homens. Se ela era capaz de se construir, com um amor pleno de inteireza, que lhe permitisse uma entrega sem reservas à pessoa amada. Ela própria não tinha tido tempo para isso. O pai de Dolores, seu primeiro namoradinho, sumido no tempo, pela intransigência do pai Belizário, pouca oportunidade de convivência tiveram. Sua mãe talvez nunca tivesse amado o marido, apenas se acostumado com ele. O que tinham sido os homens na vida de sua mãe, na vida dela e o que seriam na vida de sua filha? Talvez, Dolores, sua filha, estivesse buscando ou construindo a resposta. Por isso deixava a menina viver.

 Um dia a vida entendeu que os dias de Maria da Cruz dos Santos estavam na hora de cessar. E quase que repentinamente foi decretado o fim de seu tempo terreno. Uma leve dor de cabeça sentida de manhã, de súbito agravou, logo depois do meio do dia. Não houve tempo para nada. Nem o farmacêutico pôde ser chamado. Naquele dia, a mãe de Dolores não assistiu com a filha ao final da tarde. Quando a capela principal da cidade de Ardência Antiga, dedicada à Nossa Senhora dos Remédios, tocou as seis badaladas da hora de Ângelus, a mãe de Dolores, amparada, acarinhada pelos braços da filha já tinha ido, já tinha ido...

Com a morte da mãe, Dolores experimentou não só a certeza de estar só no mundo, pois não tinha mais nenhum parente sanguíneo, como teve certeza de sua solidão. Com quem repartir a amargura que estava sentindo naquele momento? Com quem falar? A quem chamar para dividir a dor? Seria a dor algo que se pode dividir, assim como se reparte a alegria? Dolores se lembrou das alegrias vividas às escondidas entre ela, a mãe e a avó, sem que o velho Belizário soubesse. Recordou-se das lágrimas vertidas juntas, a mãe e ela, quando a avó Hermengarda se foi. E também do desejo vivido das duas, brigando com a morte, pois ela deveria ter levado o avô e não a avó. E agora com quem dividir essa dor? Por entre lágrimas viu a pessoa de Sô Damião, empregado antigo da casa, soluçando feito criança, ao perceber que sua patroa, mulher tão sofrida pelo desprezo do pai, tinha ido. Dolores teve desejo de abraçar sua dor à dor de Sô Damião, mas se conteve. E viveu a sua angústia, sozinha.

Dolores se tornou herdeira única, com a passagem da mãe. A fortuna, construída pelo avô Belizário, havia passado para mãe e agora seria dela. O casarão, uma caixa repleta de joias, que a mãe nunca usou, a pequena, mas rendosa, joalheria e uma terra nos grotões de Ardência Antiga. Um precioso solo esperando ser tocado para dali brotarem flores valiosas, vermelhas e azuis, os rubis e as safiras que jaziam adormecidos e só despertariam quando Dolores quisesse.

Um dia Dolores entendeu que era hora de fazer a terra parir as flores. Chamou Sô Damião e foram. Ele era a pessoa de sua confiança e de seu afeto. Só para ele poderia contar sobre o vazio deixado pela partida da avó Hermengarda e da mãe, Maria da Cruz dos Santos. Só ao empregado Damião ela poderia perguntar também sobre o namoradinho da mãe e que seria o seu pai. Talvez Damião soubesse dizer algo sobre o sumiço do moço. Nada falou, nada perguntou sobre as dores antigas. Preferiu, ao caminhar ao lado dele, a cavalo, em direção aos grotões da cidade, guardar silêncio sobre as dores, que não eram só suas, mas de Damião também. Escolheu falar das flores-pedras, mistérios ocultos que podem estar guardados em arenosos solos. Terrenos que, para quem desconhece as artimanhas das pedras, se torna impossível imaginar, até na ficção, que suaves mimos têm nascedouros ali. Adivinhar a beleza da pedra-bruta era fácil para ela. Reconhecer a sinceridade dos homens, não.

Dolores fitou o homem que acabara de entrar na sua joalheria com curiosidade. Devia ser um dos maquinistas, o trem chegara de manhã. Ouvira dizer que era uma equipe nova, dois homens mais velhos e um mais jovem. O trem trazia suprimento de quatro em quatro meses, nunca tinham sido eles os bem-vindos, que ela estivesse lembrada, não. Achou o homem bonito, mas com um ar pedante. Teve vontade de não permitir conversa, encerrar a venda antes mesmo de começar. Jasmim olhava Dolores com curiosidade, sabia da história dela. Imaginou sua meninice sem pai. Sabia que aquela mulher ali na sua frente era personagem de uma história escandalosa da cidade. Sua mãe tinha engravidado solteira e o namoradinho havia sumido feito pó. Uma das versões da história dizia que o pai da mãe de Dolores tinha mandado queimar o mocinho vivo, lá pelos grotões da cidade, bem lá distante, no meio do mato fundo.

Perdido na reconstrução da história da dona da loja, Fio Jasmim por um segundo esqueceu-se do que fora fazer ali. Não, ele não fora atrás da mulher, não iria tentar nenhum modo de conquista, e aquela lá nem lhe parecia simpática. Ele queria comprar uma joia para Pérola Maria, a mãe de seus filhos. Entretanto, algo mudou de repente, quando Dolores, se esforçando para ser agradável, com um provável comprador, perguntou o que ele desejava. Jasmim respondeu que desejava comprar uma joia para uma irmã dele, uma pessoa a quem ele queria muito bem. Se ela poderia ajudá-lo a escolher. Dos Santos achou interessante um homem querer presentear a irmã, mas, no mesmo instante, perguntou a si própria se era verdade. Joia para uma irmã!? Mas por que ele inventaria essa história? Dolores tinha uma lupa profissional que lhe permitia contemplar a alma das pedras. Com qual lupa ela poderia escarafunchar a alma dos homens, e especialmente a de Fio Jasmim?

Prestando atenção em cada gesto, em cada palavra, em cada expressão do homem do outro lado do balcão, Dolores não deixava de reconhecer que ele era muito bonito. Educado, pronunciando cada palavra com cuidado e parecendo estar pronto para colher o efeito delas. Seguro, procurando sempre olhá-la no fundo dos olhos, pegando cada peça exibida com o devido cuidado de quem respeita um objeto que não lhe pertence. Por um momento Dolores pensou que seria bom ter um irmão como ele. Ela era tão sozinha! A joia seria para irmã dele. Seria? Sem querer, perguntas saíram da curiosidade e da desconfiança dela. Quantos anos tinha a irmã dele? Ela gostaria mais de uma pulseira ou de anel? E de um colar, ela gostaria? Quais as cores preferidas dela? Tinha joias com pedras de rubi, vermelhas, e de safiras azuis, azuis... Fio Jasmim parecia perdido em meio a tanta beleza. Que joia levaria para Pérola Maria? O que dar para Pérola Maria? Dolores reteve naquele instante o fulgor do rosto de Fio Jasmim. Como um menino atordoado, encantado diante de tanta beleza e que não soubesse qual era mais, qual escolher. Qual mimo ficaria mais bonito em Pérola Maria? Foi quando, maldosamente, Dolores dos Santos aproveitando a distração do moço, falou que não trabalhava com pérolas, só com rubi e safiras. De pérola ela não tinha nada, portanto para Pérola Maria, a irmã dele, a escolha teria de ser uma das pedras. Fio Jasmim respondeu que sim, iria escolher entre um anel de rubi e um de safira. Voltaria depois para fazer a compra. Ainda teria uns três dias para ficar em Ardência Antiga, até fosse descarregada toda a mercadoria do trem. Dizendo isto, se despediu de Dolores com um delicado beijo em uma de suas mãos. E, contemplando o rosto da mulher, pôde perceber que ela era bonita. De uma beleza marcada por uma expressão profundamente severa e dolorida.

 Dolores não sabia se havia gostado do moço ou não, apenas achava que havia nele algo mentiroso. Pérola Maria, ela ouviu o homem pronunciar esse nome duas vezes e o tom não parecia de irmão se referindo a uma irmã. E, quando ela repetiu o nome Pérola Maria, percebeu que ele se desconcertou um pouco. O que havia atrás daquele nome? E o que ela tinha com isto? E o que ela tinha com isto? Se perguntava censurando nela própria aquela intromissão de pensamento, desnecessária. O interessante seria vender a joia para o sujeito, se ele fosse dar para a irmã, para a esposa ou para a amada dele, o que ela tinha a ver com isso? O que ela tinha a ver com isso? E o resto da tarde, até o quase findar da noite, Dolores se viu desejando que o moço voltasse à loja, não somente para completar a compra, mas para lhe dizer quem era Pérola Maria, a mulher para quem ele daria o mimo.

 Quando no dia seguinte, também no final da tarde, Fio Jasmim se dirigiu para a pequena joalheria, ele pensou em ser mais cuidadoso ao pronunciar qualquer nome de mulher perto de Dolores dos Santos. Quando contou o incidente para os companheiros maquinistas, os mais velhos riram dele e perguntaram qual o motivo de ele estar tão preocupado com a pequena distração cometida. Nem ele sabia bem o porquê. Entretanto, não gostava de pronunciar o nome da esposa para outras mulheres. A de casa é santa, pensava ele. Se ele tivesse dito pelo menos Juventina, seria mais fácil explicar. Assustado com o próprio pensamento, Fio Jasmim não entendia o que estava se passando com ele. Estaria por acaso pensando em alguma conquista? Ouvira dizer que ela era uma mulher namoradeira, mas que não parava com homem algum, tinha um gênio indomável. Todas essas considerações não lhe importavam, não estava interessado na mulher. Mas e se ela estivesse interessada nele...

Ao chegar à joalheria, Jasmim percebeu que Dolores já esperava por ele. Todas as joias exibidas no dia anterior estavam expostas, para que ele as examinasse novamente. Dolores tinha pressa, ela tinha prometido a si mesma que não passaria mais uma noite sem descobrir para quem seria a joia que aquele moço tão bonito estava comprando. A pressa dela não era a venda, o negócio em si, era descobrir a sinceridade ou a falsidade daquele homem. O que o nome Pérola Maria significaria na vida dele.

E foram assim os três ou quatro dias que o trem esteve parado na estação da cidade. Todos os finais de tarde, Fio Jasmim chegava à joalheria de Dolores dos Santos, acarinhava peça por peça, ora com o olhar longínquo, ora em Dolores, sem decidir a compra da joia. Um dia, não se sabe se por iniciativa dele ou dela, as mãos de Dolores viraram modelo para experimentação da joia. Calmamente, todos os anéis adornaram por segundos os dedos da própria dona, que nunca os havia experimentado. Eram tão suaves os gestos de experimentação das joias no dedo de Dolores, que se assemelhavam a um pedido de noivado ou a uma troca de alianças em uma celebração de casamento. Entretanto, era uma cerimônia incompleta. Um homem buscava uma mulher, ela aceitava a aliança, mas não havia da parte dela gesto algum de oferecimento.

E foi na tarde do dia em que o trem deixaria Ardência Antiga e partiria de noite para Nova Ardência, que tudo aconteceu. Fio Jasmim já estava preparado para seguir caminho. Seria uma viagem de um dia e meio para se chegar à cidade vizinha, onde seriam recolhidas algumas mercadorias e um carregamento de café. Fio Jasmim mais uma vez voltou para admirar as joias e as mãos de Dolores dos Santos. E brincando, simplesmente brincando, a vendedora colocou um anel em cada dedo, alternando ora um anel de rubi, ora um de safira. As mãos de Dos Santos se tornaram belas, sedutoras, ao olhar de Jasmim. E da passiva contemplação, Fio partiu para o ato dos beijos, muitos e em cada dedo da vendedora. Os dedos de Dolores dos Santos entenderam como carinhos sinceros, os lábios suaves e úmidos do homem, e desejou e permitiu que o gesto carinhoso dele caminhasse por todo o seu corpo. E ela, tão fechada, tão desconfiada da sinceridade dos homens, fechou a porta da joalheria e abriu a sua entrada mais íntima, onde Fio Jasmim penetrou sem pensar e medir qualquer consequência. E quando, na meia escuridão do quarto, os dedos de Dolores brilharam acordando os dois para realidade, Jasmim se vestiu rápido, e se foi. Tempo nem houve para que ele concluísse a compra de um anel para Pérola Maria.

Dolores, quando caiu em si, percebeu o perigo que ela havia corrido. Não o de ser assaltada ou o de perder qualquer joia, pois esse tipo de acontecimento era quase impossível em Ardência Antiga. E, além do mais, os maquinistas, em suas paradas, circulavam pela cidade e se tornavam conhecidos na localidade. O perigo maior, que ela havia corrido, fora o de se abrir, sem reserva alguma, para um desconhecido. Ela não sabia nada sobre ele, a não ser que era um homem bonito, de ar pedante, carinhoso e mentiroso. Pérola Maria não era irmã alguma dele. Quem seria ela então? Em meio a essas dúvidas e autorrepreensões, Dolores se levantou para voltar à joalheria e guardar os anéis, que, por serem tantos, já começavam a incomodar em seus dedos. E surpresa maior encontrou. Um bilhete de Fio Jasmim, em que estava escrito que gostaria de encontrá-la em Nova Ardência e se ela não poderia ir até lá. E também uma quantia de setenta por cento do preço de um dos anéis, se ela não se importasse ele acertaria os trinta por cento, depois. Quando chegasse à cidade de moradia dele, pediria um portador que levasse o restante, mas queria outra permissão dela. Ele gostaria de lhe oferecer o anel. Tinha ficado tão bonito nos dedos dela. Que ela escolhesse um. Depois um dia, assim que tivesse oportunidade, ele voltaria e compraria outro anel para a irmã.

Entre o estupor, a raiva, a alegria e um profundo sentimento de desconfiança do homem a que ela acabara de se entregar, poucas horas antes, Dolores teve ímpeto de despedaçar o pedaço de papel largado em cima do balcão. Não, ela não queria o presente. Petulância dele, ela não precisava de anel algum, as joias eram dela, se quisesse teria anéis aos montes, para todos os dedos das mãos e dos pés. Não queria anel algum. No outro dia, pagaria por um serviço de carro para levá-la até Nova Ardência e devolveria o dinheiro que ele havia deixado. Ela não pediu nada a homem algum. Muito atrevimento da parte dele, muito.

Dolores dos Santos mal pensou, bem fez. No outro dia antes mesmo de o trem chegar a Nova Ardência, lá estava ela na salinha da casa, onde os maquinistas se hospedariam, esperando por Fio Jasmim. Um pouco mais apaziguada perguntava o porquê de o homem ter feito aquilo. O que ele pretendia? Aonde ele queria chegar? Algum jogo de conquista? Se era, para cima dela, não! Mal sabia Dolores que Fio Jasmim também se perguntava o que dera nele, que loucura era aquela. Talvez ele já estivesse tão viciado em conquistar as mulheres, que nem pensasse mais no que estava fazendo. Ah, homem tem de ser assim! E, já que tinha começado, iria até o fim. Com certeza ela viria atrás dele. E todas as vezes que ele viesse para Ardência, tanto a antiga cidade, como a nova, com certeza, iriam se encontrar. E mais histórias ele teria para contar aos companheiros mais velhos; quanto ao anel, gastou um dinheiro sem necessidade. Dia desses qualquer, daria uma joia para Pérola Maria, ela merecia. Era uma boa mulher. Ele gostava dela, ela gostava muito dele. Pérola mantinha as crianças e a casa sempre limpas. Era uma boa esposa, estava sempre disposta aos carinhos que ele oferecia. À noite, quando ela queria aproximação, discretamente se encostava a ele e o amor era feito. Eram muito bons esses momentos, sempre. Quando Pérola Maria engravidava, ele sabia sem ela falar. As encostadas nele iam rareando, da mesma forma quando o bebê nascia, até completar um ano. Nesse período, a mulher era só mãe. Bom, de qualquer forma, ele tinha outras saídas...

Susto tomou Fio Jasmim quando, ao pisar na sala da casa onde ele e os outros maquinistas passariam um dia e uma noite, encontrou a mulher, que já estava à sua espera. Convencido de que ela viera para brincarem de novo, sem qualquer cerimônia, anunciou que iria tomar um banho e pediu que ela esperasse um pouco. Ah, poderia ficar tranquila, o comboio só partiria na manhã do dia seguinte, enquanto isto ele estaria livre para ela.

E foi na liberdade da tarde e de parte da noite de Fio Jasmim que Dolores dos Santos tentou uma conversa sincera com ele. Perguntou-lhe mais de mil vezes quem era Pérola Maria, mais de mil vezes, ele respondeu que era sua irmã. E, se não fosse, que importância teria? Será que essa mulher está interessada em mim? E se não for irmã dele, se esse homem estiver mentindo, que importância teria? Será que estou interessada nesse sujeito?

Dolores dos Santos estava interessada em Fio Jasmim, sim. Ela mesma confessou para ele. Não sabia explicar bem o que estava acontecendo, tivera vários namorados e nunca tinha se sentido assim. Ela não era nenhuma menina, como ele também não. Já tinha uns trinta e poucos anos de vida afora; entretanto, estava vivendo uma confusão de sentimentos, parecia que tudo era a primeira vez. E precisava voltar ao mesmo assunto. Quem era Pérola Maria, quem era? Fio Jasmim se irritou. Mordendo as palavras, mais uma vez, afirmou que se tratava da irmã dele. E, com uma ligeira alteração de voz, declarou que, caso fossem ter mais algum encontro no futuro, era preciso que aquela pergunta não existisse mais. Dolores dos Santos nunca mais perguntou quem era Pérola Maria, pois nem oportunidade teve.

**Carregamento** feito e o comboio responsável saiu lentamente de Nova Ardência, depois, quando ganhou energia, comia os trilhos como se o mundo fosse acabar daí a uns segundos. Era preciso correr, como se estivesse em fuga, e esquecer a cidade de Nova Ardência, assim como se deslembrar de Ardência Antiga. Às vezes o tempo pede esquecimento. Dolores dos Santos retornava para Ardência Antiga com o propósito de esquecer o homem que lhe havia oferecido uma joia, da qual ela era a própria dona. Com muito custo, entre abraços e deslizados toques de carinho, na cama da hospedagem de Nova Ardência, a quantia paga foi devolvida a Fio Jasmim. Houve, porém, uma negociação. Dolores usaria a joia como se presente fosse, para que ela se lembrasse sempre dele. O que nem ela nem ele sabiam é que não seria preciso essa lembrança no dedo. O corpo de Dolores dos Santos reteve uma memória mais profunda de Fio Jasmim. Dois meses e meio depois que o trem saiu de Ardência Antiga, atravessou Nova Ardência e seguiu rasgando o coração do Centro-Oeste, Dolores se descobriu grávida. Assustada, permitiu-se e permitiu uma concepção em si. Viu na gravidez uma possibilidade de não ser tão só. Algumas pessoas murmuraram que ela tinha feito igual à mãe, engravidado solteira. Outras acrescentavam, a esse comentário, que a mãe dela, quando engravidou, era uma menina inocente, Dolores não. Era uma mulher velha, sem vergonha. Fora atrás do homem, tinha sido vista em Nova Ardência com um dos maquinistas. E outras línguas, mais desocupadas ainda, se mexiam dizendo que Dolores era muito namoradeira. Será que ela sabia quem era o pai?

Dolores, embora sempre desconfiando de Fio Jasmim, resolveu ser feliz com as suas meninas gêmeas, Rubia e Safira. Decidira até se deslembrar de que um homem, o pai das meninas, tinha existido na vida dela. Durante um tempo, enviou várias cartas à sede da CFN, pedindo ao funcionário Fio Jasmim que se comunicasse com ela. Nunca obteve resposta. O comboio, pelo menos de quatro em quatro meses, visitava as duas Ardência, porém, nunca mais a equipe de Fio Jasmim voltou. Dolores sempre perguntava pela equipe, cujo maquinista mais jovem era Fio Jasmim, e sempre obtinha a mesma resposta, uma equipe não conhece a outra, eram trajetos e regiões distintas e, além do mais, a companhia tinha mais de quinhentos funcionários pelo país afora, era impossível todos se conhecerem. Dolores resolveu deslembrar de Fio Jasmim. Era preciso. Apagar o homem de sua memória não lhe doía tanto, o angustiante era não conseguir construir pelo menos um esboço de pai para as filhas. Ela não queria que as meninas padecessem de uma orfandade paterna, como ela padecera. Uma orfandade desde o vazio de uma imagem que não se podia construir, pois a anterioridade era construída de um rosto não desenhado, falho, pois sofria de uma não concretude. E ironicamente as filhas guardavam uma parecença profunda com o pai. Um dia talvez contasse para as meninas o acontecido, agora não, elas eram muito novas, tinham cinco anos somente, mas precisava pelo menos de uma foto de Fio Jasmim. Não tinha.

**Um dia**, um envelope muito bem fechado foi encaminhado por um mensageiro na igreja local, com o recado de que fosse entregue a Dolores dos Santos. O rapazinho sacristão não sabia detalhe algum sobre o fato, somente que deveria levar para Dolores dos Santos a encomenda que era dela. E assim fez. Mal o menino virou as costas, Dolores abriu o envelope, que continha outro menor. Aflita e irritada, quis rasgar o segundo envelope, mas se conteve, abriu lentamente, buscando não machucar o que estivesse dentro. E foi com os gestos lentos e cuidadosos que Dolores se deparou com uma foto de casal acompanhados de seis crianças. O homem era Fio Jasmim. A mulher, Dolores dos Santos não teve dúvida, era a resposta a uma exaustiva interrogação, que ela fizera, tantas vezes, a Fio Jasmim: Quem era Pérola Maria? A foto confirmava uma desconfiança que ela sempre tivera em relação à sinceridade de Fio Jasmim. Olhou o verso da fotografia e leu: "Pérola Maria, esposa de Fio Jasmim, ele e seis filhos do casal." Mais nada, assinatura alguma na foto nem no envelope.

De todos os sentimentos experimentados por Dolores naquele momento, susto, surpresa, alívio pelo desvendamento de uma antiga dúvida, preocupação com as filhas, sensação de tempo perdido na esperança de um novo encontro, um sobressaía, o ÓDIO. Ela iria se vingar. Acabaria com ele, com a mulher dele e com os filhos do maldito.

E, durante meses, Dolores dos Santos ficou trabalhando aquele pensamento. Buscou ali, buscou aqui, e na própria companhia em que Fio Jasmim trabalhava, a cidade em que o homem residia. Era a cidade de Chegada Feliz, lá na ponta sul da região, onde havia um escritório da empresa. Seria difícil chegar até lá. Teria de viajar até a capital, o que levava de quatro a cinco dias devido às baldeações, e, da capital, tomar um trem de passageiros, para fazer mais uma viagem de vinte e quatro horas, para descer em Chegada Feliz. Na cidade seria fácil descobrir a casa do maldito, com certeza ele seria conhecido por lá. Cuidadosamente, Dolores dos Santos prestou atenção em todos os preparativos. Chamou Sô Damião e pediu que ele e uma tia que morava com ele tomassem conta das meninas. Ela ia fazer uma viagem de uma semana e meia, podia até não voltar logo, que ele cuidasse de tudo. Por segurança, ela ia deixar tudo escrito, inclusive o que ela planejava para o futuro das meninas. Na cidade de Palmas do Oriente, próximo dali, havia um internato católico, muito bom, as meninas poderiam ser enviadas para lá. Ela já tinha tido uma conversa inicial com a Madre Joaquina, se fosse preciso era só finalizar os tratos. Caso ela não voltasse logo, ou se voltasse e não pudesse ficar, um dia ela retomaria a vida com as meninas, talvez elas já estivessem bem grandes e nem precisassem mais dela. Sô Damião nada perguntou, mas um calafrio lhe percorreu a espinha, ele pressentiu que boa coisa não estava para acontecer na família.

Na véspera da viagem, Dolores dos Santos chorou a noite inteira, buscou em seus guardados a joia, o anel que ela se permitira ter, como presente de um homem que se fez amado dentro dela. Reconheceu que um presente maior ele havia deixado nela, as filhas, Rubia e Safira. A mãe caminhou até o quarto das duas, elas dormiam na mesma posição do pai, sem nunca ter contemplado o sono ou o rosto dele. Que pai inventar para as filhas? Que mãe ser para as filhas? Ela não era invenção, era concreta, era palpável na vida das meninas. Como ser então? Como ser então? O pai nunca seria, como nunca foi o pai dela, vítima da brutalidade do avô Belizário. E o pai das meninas? Não era por quê? As meninas não terem pai, a culpa era dela por essa falta, essa ausência na vida de suas filhas.

E de repente seu ódio contra Fio Jasmim se transformou em prudência, em juízo, em consciência. Buscou no fundo de sua bolsa de viagem a foto e pela primeira vez viu os detalhes. Pérola Maria, cercada das crianças, tinha uma expressão serena. Contemplou profundamente a foto e, no lugar de Pérola, outras mulheres apareciam: vó Hermengarda; mãe Maria da Cruz; a velha Clementina, tia do Sô Damião; Santina, a mulher que morava lá na entrada de Nova Ardência; Cleide do Vicente, uma antiga colega de escola; Joana, a mãe que cuidava das quatro meninas sozinha; Laurinda, a que noivara aos dezoito anos de Ovídio, o noivo que nunca marcava a data do casamento; e outras e outras. Cada uma aparecia ora com um rosto pleno de alegria, ora não só com o rosto, mas com o corpo debulhado em lágrimas. Ora independentes de seus homens, ora puxadas pela mão por eles, ora brutalmente empurradas. Ora deitadas, ora em pé. Ora alisando as crias, ora as enforcando. Uma gama de mulheres, um universo feminino em ebulição, mesmo quando aparentemente estático.

Eram muitas as mulheres. E foi então que Dolores dos Santos entendeu que matar aquela mulher seria se matar também. E, tarde da noite, uma mulher sozinha, e só, se encaminhou em direção ao Rio Águas Profundas que banhava a região. E então se ouviram só soluços, enquanto uma arma afogava, assim como todo sentimento de vingança se diluía no coração e na mente de Dolores dos Santos. E, ao voltar para casa, tomou outra decisão, a qualquer momento pegaria as suas meninas, Rubia e Safira, para apresentá-las ao pai e aos irmãos na cidade de Chegada Feliz. As crianças, o que importava, eram as crianças e mais nada.

**DALVA AMORATO** entrou na vida de Fio Jasmim pelas vias do esquecimento na cidade de Águas Infindas, em uma das viagens do moço, quando uma chuva de dias e dias desabou no caminho. Tantas foram as águas que várias ribanceiras caíram sobre a linha férrea, obrigando o trem a parar. E, na afobação da descida, Fio Jasmim, justo o mais novo dos maquinistas, pisou em falso. Água não é chão firme e, ao invés da segurança de uma terra estável, a desamparada pisada de Jasmim tombou o corpo dele no chão. E deitado o moço ficou um dia e meio no pequeno hospital da cidade, meio desmaiado, enquanto a chuva continuava fazendo estragos nos arredores. Assim que os habitantes de Águas Infindas souberam do acontecimento da parada forçada do comboio na cidade e do ferimento de um dos maquinistas, visitas feito romaria aconteceram no hospital. Dalva Ruiva, a mulher mais rica da cidade, ofereceu seus préstimos, caso precisasse de um quarto particular para acolher o maquinista machucado. Não foi preciso, em menos de uma semana Fio Jasmim ficou bom. Entretanto, não se lembrava com nitidez dos fatos imediatos após a queda. Tinha apenas uma vaga lembrança de uma noite de tempestade, o rio transbordando, os gritos dos outros dois maquinistas e depois mais nada. O que ocorreu após, parece que as águas tinham levado também, pois tudo se diluiu na mente de Jasmim. Dalva Ruiva tinha sido uma das primeiras visitantes do maquinista, quando ele estava ainda em estado de meio desmaio. Sendo assim, lembrança alguma ficou na memória de Fio Jasmim da primeira aproximação da mulher. Dalva Ruiva não ficou desenhada, nem como um fugidio esboço, na mente esquecida de Jasmim. E, mesmo quando ele recuperou aos poucos quase todas as lembranças, inclusive a do momento exato da queda, Dalva Ruiva, do encontro primeiro, não lhe veio à mente. Fio Jasmim se lembrou até do grito desesperado, que ele emitiu, clamando por socorro, brado que se molhou na tempestade, menos da imagem da Ruiva no hospital lhe oferecendo os préstimos. Dela, nada se fez em suas lembranças.

Os companheiros de trabalho de Fio Jasmim rememoravam o tombo do mais novo, agradecendo à vida a plena recuperação dele. Poderia ter sido pior, ele chegou a bater a cabeça na escadinha de entrada do vagão. Ainda bem que as coisas mais importantes do corpo dos homens e das mulheres ficavam entre as pernas. Já pensou se o Fio Jasmim tivesse com o tombo amassado os ovos e não machucado a cabeça? Como haveria de ser? As mulheres não iam querer mais nada com ele? Homem desmiolado continua sendo um homem. Agora, um homem com os ovos amassados não passaria de um galo velho inútil para qualquer galinha, até as velhas. E assim seguiam as brincadeiras deles, Fio Jasmim ria e ria. Ai, ai, ai, eram tantas piadas. Bom, lá estava ele, vivo, duro, rígido e pronto para as mulheres. E, maliciosamente brincando, Fio dizia aos companheiros que ele devia um agradecimento especial a essa tal de Dalva Ruiva. A ricaça da cidade, a que, quando ele ainda estava em estado de torpor, fora visitá-lo e estava disposta a levá-lo para casa. Queria que ela insistisse no convite. Agora ele estava pronto e com muita saúde. Muita!

Dalva Amorato, como muitas mulheres que não se exibem com um homem, que elas apresentam como marido, noivo, ou mesmo namorado, tinha a vida como motivo de especulação. Sobre ela inventavam-se tantas ficções, que ninguém conseguia saber exatamente qual enredo seria o verdadeiro em relação à vida dela. Exposta a julgamentos alheios de homens e de mulheres, Dalva Ruiva seguia sem prestar atenção no que diziam sobre ela. Contavam que ela era separada do marido, que lhe dava uma boa pensão. Outro enredo informava que ela era viúva de um empresário rico. Havia também um diz-que-diz de algumas testemunhas, que juravam que já tinham visto a Ruiva sair de uma casa de alta prostituição. Os clientes dela seriam políticos, jogadores de futebol e gente da classe artística, aquela cuja arte permite que se ganhe muito dinheiro. E ainda intrigavam dizendo que, com essa profissão do pecado, a Ruiva tinha conseguido uma renda tão farta, que dera para ela construir uma mansão no Nordeste. E era lá que ela iria morar um dia. O fato é que Dalva andava muito bem vestida, suas crianças estudavam no melhor colégio da cidade, tinham motorista particular e tudo.

O que ninguém sabia é que Dalva Ruiva trabalhava e muito. Com o corpo e com a cabeça. Tendo passado a infância na roça, ajudando os pais a viverem de uma lavoura de subsistência, Dalva desde menina entendeu que seria, ela mesma, a única pessoa capaz de mudar o seu destino. Aos dez anos, terminou a quarta série primária, era tudo que o lugarejo em que vivia podia lhe oferecer. Decidida a continuar estudando, só tinha uma alternativa, ir para a cidade vizinha. Ela mesma arranjou como, foi trabalhar na casa de uma senhora conhecida. Quatro anos após, se enamorou do rapazinho, sobrinho dessa senhora. A patroa não fez nenhuma objeção. Dalva, que já tinha o apelido de Dalva Ruiva, foi se tornando membro da família. Ela tinha quatorze anos e o rapaz, dezesseis. Acabaram de crescer juntos. A tia do rapazinho tinha uma consideração especial para com Dalva, mas conservava a menina como empregada. Ia lhe ensinando as prendas domésticas, dizendo que estava preparando a mocinha para ser uma boa esposa para o sobrinho. Dalva estava feliz, tinha saído da pobreza da roça e tinha um sonho escondido. O namoradinho ia estudar medicina e ela ia estudar para ser farmacêutica. Era um combinado dos dois, ninguém sabia. A vida e o namoro de Dalva seguiam tranquilos. Casaram-se, ele com dezoito e ela com dezesseis anos. O maridinho foi para a capital estudar medicina, ela continuou morando na casa da tia dele, ali era a moradia do casal. Só se viam quando ele vinha de férias. Se viam e se amavam. Durante quase oito anos, essa foi a vida do casal. Desse modo, Dalva Ruiva viveu, inclusive, a primeira e a segunda gravidez. Quando o marido terminou os estudos, veio de vez da capital e montou consultório na cidade. A tia deu uma festa. Dalva e a tia foram cumprimentadas pelas mulheres da família. Parabéns repetidos diziam que a tia do rapaz e ela tinham feito dele um homem. Elas tinham formado o rapaz, que tão menino havia perdido a mãe. Tinha sido a maior tristeza, quando a mãe dele morreu de uma doença estranha. Ele tinha apenas três anos. E o pai.... Ah, o pai, não aguentando viver a viuvez, na casa onde tinha sido tão feliz, sete meses depois, partiu dali. Deixou uma carta para a família da esposa morta, pedindo que cuidassem do menino. Nunca mais deu notícias nem buscou saber nada sobre o filho. A irmã mais velha da falecida esposa se tornou mãe do rapazinho. E, mais tarde, recebeu Dalva de bom grado, para ser namorada do sobrinho. Vicentinho estava crescendo, ia precisar de uma namorada e futuramente de uma esposa. E por que não a menina que tinha chegado para trabalhar com ela? A mocinha era bonita, muito bonita. Branquinha, ruiva ao natural, sem precisar pintar o cabelo, assim pensava e regozijava a tia. Tinha vindo da roça, tinha bons costumes e seria fácil fazer dela uma boa esposa. Dalva não alcançou de imediato o sentido da fala das mulheres, principalmente das mais velhas. De noite, enquanto o jovem marido médico estava na sala conversando com as autoridades locais, Dalva amamentava o segundo filho e preparava as crianças para dormir. A tia do recém-médico, Dr. Vicentinho Coimbra, entrou no quarto e chorando abraçou a moça, dizendo que estava muito feliz, muito feliz. Apesar de o sobrinho ter perdido a mãe, com três anos somente, ela conseguira fazer dele um homem. E Dalva, a jovem esposa, cumpridora dos deveres conjugais, tinha um papel fundamental na vida do rapaz. Ela e Dalva mereciam todos os cumprimentos. Tinham feito o que a mãe dele faria para o filho se tornar médico. Ela, a tia, estava muito feliz. Ele estava muito feliz, a família estava muito feliz. Dalva se assustou. Só ela estava se sentindo profundamente infeliz.

Só Dalva Amorato estava se sentido profundamente infeliz. O nome do marido como médico ia ganhando respeito e popularidade na cidade e nos arredores. Um médico de uma cidade vizinha, já experiente, bastante conhecido, propôs ao Dr. Vicente Coimbra abrirem uma clínica. Vicentinho aceitou e passou a atender na cidade vizinha duas vezes por semana. Não conseguindo e não se esforçando, muitas vezes, em voltar para casa, Dalva e as crianças passavam a noite sem a companhia dele. Nunca mais se falou nos estudos que Dalva gostaria de fazer. Tinha sido um combinado entre os dois. Uma única vez que Dalva buscou o assunto e colocou o desejo em cena, Vicentinho argumentou que seria caro para ela estudar. Ele ainda não dispunha de recursos em folga para tal empreitada. Afinal, o trabalho dele tinha uma remuneração segura todo mês, mas era só o dinheiro dele que entrava em casa. Mesmo assim, estava sendo possível, nos últimos tempos, ele destinar um dinheiro para que ela enviasse à família dela, na roça. E, se ela fizesse o curso de Farmácia, não serviria para nada, ele não ia querer a esposa dele trabalhando. O homem da casa era ele, só ele trabalharia para o sustento da família. E, finalizando o assunto, acrescentou outra dificuldade: as crianças. Quem ficaria com as crianças para ela estudar? Quem dirigiria a casa?

E assim foi a vida de Dalva Amorato durante anos. Antes dos trinta anos, ela já se sentia uma mulher cansada, com dois filhos e com um sonho adormecido. Querendo estudar Farmácia.

Um dia Dalva resolveu pôr um ponto final no cansaço. Não foi algo decidido repentinamente. Havia anos que, na solidão das noites, sem Vicentinho, e na azáfama dos dias, ela vinha amadurecendo um pensamento. Estava cansada de viver em eterna obediência, desde os quatorzes anos, à patroa, que, embora sendo tia de Vicentinho, nunca lhe havia permitido qualquer autonomia. A vida dela tinha se resumido em cuidar das crianças e da casa, em enviar ajuda à família que tinha ficado na roça, enquanto sufocava desejos de seu corpo, assim como abafava o seu sonho de estudar Farmácia. Toda essa situação Dalva vinha mastigando lentamente, como um alimento venenoso, e que a pessoa luta para não engolir. Uma noite, bastou um telefonema de Vicentinho, dizendo que dormiria na clínica, em São Domingos. Não viria para casa, pois no outro dia, cedo, ele teria uma cliente para atender. Dalva nada argumentou, nada perguntou, não lhe interessava mais se Vicentinho chegaria, um dia, em casa. Ela já não esperaria mais por ele. Essa noite foi crucial na vida de Dalva Amorato. Foram horas limites de um tempo divisório, entre o antes e o depois, na vida dela. E, após o telefonema, Dalva Ruiva começou a arrumação das malas dela e das crianças. Ia embora, ia partir. Antes bateu na porta do quarto da sua ex-patroa e tia de seu ex-marido (tão convicta estava em sua decisão, que já considerava o marido como "ex"), anunciando que cedo, cedinho iria embora com as crianças. E assim fez. De manhã, no exato momento em que a natureza vira dia, com o sol explodindo a madrugada, Dalva Ruiva tomou novamente a condução de sua vida. A primeira vez foi quando ela não tinha onze anos completos e decidiu ir para a cidade, porque queria continuar estudando. E agora, vinte anos depois, ela repetia o mesmo gesto de coragem, não mais sozinha e, sim, com duas crianças, seus filhos. Dalva Amorato não estava sozinha, mas estava tão só quanto antes.

Quando o marido tomou conhecimento do acontecido, por meio de uma fala estrangulada de choro de sua tia, não demonstrou surpresa alguma. Foi como se ele já esperasse. Pediu à tia que tivesse calma e não anunciasse para ninguém. Era preciso evitar escândalo. Nada que pudesse enlamear o nome dele poderia ser dito, queria salvar a sua carreira. E, com cordialidade e fingido respeito, o marido de Dalva Ruiva não questionou o fato de ela ter saído de casa e ter levado as crianças. Ele mesmo afirmou que daria uma quantia por mês para ajudar no sustento dos filhos. Entretanto, tinha um pedido a fazer. Que ela fosse viver, com os filhos, bem longe da família dele. Dalva Ruiva atendeu. Ela também não tinha motivo algum para morar na mesma cidade do ex-marido e dos familiares dele. O país era grande, imenso, ela poderia ir e ir...

Jogando com a sorte e apostando em melhores tempos, Dalva escolheu uma cidade chamada Dias Felizes para ir viver com os filhos. Um lugar bem distante de seu estado natal. O dinheiro que ela levara, economia dos gastos domésticos, mais o que Vicentinho depositara para ela, no dia mesmo em que conversaram rapidamente sobre a partida dela com as crianças, dava para ter calma nos primeiros instantes e pensar novos meios de sobrevivência, e seguir seus projetos de vida. Entretanto, precisava trabalhar, queria fazer o curso de Farmácia, mas, antes, terminar os estudos anteriores necessários para isto. Consciente de que só ela poderia investir nela própria, sabia que precisava escolher um trabalho que lhe desse retorno farto e rápido. Veio em mente trabalhar com vendas de carro, por exemplo; não conseguiu o retorno necessário e esperado. Venda de imóveis também não, eletrodomésticos foi decepcionante.

Novamente organizou uma planilha de gasto: aluguel da casa, pagamento de escola e de acompanhante para as crianças, despesas alimentares, etc. E ainda, ou principalmente, custear seus estudos, os preliminares e depois o curso de Farmácia. A solução veio rápida, sem dúvida, sem constrangimento algum. Ia trabalhar vendendo o seu corpo. Sexo. Se fosse cantora, venderia a voz; se fosse bailarina, venderia o corpo no movimento da arte de dançar; se fosse professora, venderia a sua capacidade, a sua didática, o conteúdo aprendido, para ensinar; se fosse médica, a sua capacidade de cuidar, de curar, de orientar na procura e na conservação da saúde; se fosse cozinheira, o seu dom de cozinhar. Não tinha nenhum desses predicados e talvez esses tomassem mais tempo para aprender. E para Dalva Ruiva se tratava de correr contra o tempo, ou melhor, agarrar um tempo que ficou vazio, sem movimento algum para a realização de seus sonhos. E sem qualquer acanhamento ou dúvida,

Dalva Ruiva tomou informações de como agir. A primeira providência tomada foi a de alugar um quarto, por um mês, no melhor hotel de uma cidade um pouco distante de onde ela estava morando com os filhos. Depois foi a distribuição em alguns lugares chaves da cidade como: restaurantes onde se reuniam políticos, clubes de futebol, camarins dos artistas de grandes shows; em suma, locais onde gente endinheirada costuma se encontrar, discretos cartõezinhos oferecendo horas de amor. Dizia ser um atendimento sigiloso e pedia também discrição em relação a ela, que estaria no local para amorosamente atender quem viesse procurá-la para desfrutar de seu atendimento profissional. Em um mês Dalva Ruiva montou freguesia e, sem dificuldade alguma, começou seus estudos e, em menos de dois anos, matriculou-se no curso de Farmácia, em uma das melhores instituições de ensino superior da cidade de Dias Felizes.

Quando Dalva Ruiva viu Fio Jasmim meio desmaiado na cama do pequeno hospital da cidade de Águas Infindas, pôde perceber que ele era um homem muito bonito. Desejou que ele estivesse acordado para conhecê-lo melhor. A semana passou, ele se recuperou em curto período e não precisou se hospedar na casa dela, o que seria muito prazeroso para os dois. As chuvas cessaram, as águas baixaram, os trilhos apareceram e o comboio partiu sem esperança alguma de retorno à cidade. A cidade de Águas Infindas não fazia parte do roteiro do serviço do trem. Nem estação a cidade possuía. Improvável seria um novo encontro dos dois, entretanto os caminhos deles se cruzariam novamente. Dalva Ruiva, tendo terminado o curso de Farmácia, logo-logo conseguiu trabalho no ramo. Trabalhava como representante de laboratórios e, em algumas cidades, dava plantão nas farmácias locais, em dias predeterminados. Ela ganhava ainda um bom dinheiro extra, quando atendia, vez ou outra, homens endinheirados que ela encontrava pelas andanças, como farmacêutica. Dalva Amorato era boa em tudo. Plena. Punha paixão, intensidade, alma e corpo em tudo que fazia. Um dia, em uma das viagens a trabalho, ela reencontrou Fio Jasmim, na cidade conhecida como Grande Infância. Aliás, foi Dalva Amorato que reencontrou Fio Jasmim, pois ele não se lembrava dela. Jasmim sabia que ela existia. Sabia do oferecimento dela, para cuidar dele, mas não se lembrava da ida de Dalva ao hospital para visitá-lo. O que Fio Jasmim sabia de Dalva Ruiva era o que seus colegas de trabalho tinham dito. E eles, como homens, só viam, só falavam, só inventavam, só imaginavam determinados predicados das mulheres. Fio Jasmim também só se interessava por aquilo que os seus colegas sabiam dizer.

Dalva e Fio se reencontraram diversas vezes em variadas viagens. Durante anos de trabalho dele e dela, os dois se permitiam renovar prazeres ao longo do tempo. Certa ocasião, não se sabe se por descuido ou não, Dalva Ruiva se engravidou de Fio Jasmim. Quando se reencontraram, a criança já havia nascido. Ela contou para ele; o homem escutou a notícia em silêncio e depois perguntou como ela sabia que a criança era filho dele. Ela não respondeu. E se entregou a ele com mais afã ainda. Teria uma nova gravidez. Ela não precisava em nada do homem que estava ali com ela. Aliás precisava sim, de afetos. Mas seu príncipe negro parecia tão sozinho, tão desamparado, tão escorregadio em sentimentos para além de uma virilidade física que, uma vez satisfeita, apontava para o nada. E, com um misto de ternura e compaixão, Dalva abraçou Fio Jasmim, como nunca tinha abraçado homem algum. Ele correspondeu ao abraço, como se estivesse feliz. Com Fio Jasmim, Dalva Amorato ficava pelo prazer de se abrir para um homem que a fazia feliz por alguns instantes. Fio Jasmim nem percebia. Ele também não percebeu a barriga de três meses, que timidamente apontava no corpo de Dalva, quando se reencontraram na cidade de Dois Laços. Era o segundo filho de Jasmim em Dalva Amorato. O terceiro filho, Dalva não comentou, nem deu a Jasmim a oportunidade de vê-la grávida. Quando soube que o trem da CFN pararia na cidade de Fé Rompida, ela mandou um recado que, por motivos maiores, a sua visita à cidade seria adiada por duas semanas. Era um período suficiente para não correr o risco de encontrar com o homem que ela queria ver na face mestiça de seus filhos. Mas Fio Jasmim parecia não perceber nada. Ele não entendeu que Dalva Ruiva via nele o príncipe negro, que a professora não permitiu que ele fosse um dia. Dalva Ruiva queria ter filhos com Fio Jasmim, queria que seus filhos perdessem a alvura que a pele dela continha, e se enegrecessem com a melanina do pai. Fio Jasmim nem atinava com o que se passava na cabeça da mulher. Talvez Fio não atinasse nem com o que se passava na sua própria cabeça.

E orgulhosa consigo mesma pelos cinco filhos que tivera, sendo que, de três deles, o pai era Fio Jasmim — escolha que conscientemente ela fizera por Jasmim, dentre homens que atravessaram a sua vida e o seu corpo —, Dalva Ruiva constantemente ia à cidade de Chegada Feliz. No dia que ela mudasse para o Nordeste, encontraria uma maneira de os filhos se encontrarem com o pai. Lá, ela, tão discreta em relação à sua vida íntima, dizia sem rodeios que seus três meninos eram filhos de Jasmim. Quem olhasse, mesmo sem prestar atenção, via três crianças de tom de pele bem alva, com cabelos tom de fogo, como os da mãe, mas encaracolados e crespos denunciando uma mestiçagem negra no corpo delas, confirmada pelos traços faciais de profunda semelhança com o marido de Pérola Maria. Sem dúvida alguma.

**QUANDO** Tina conheceu Fio Jasmim, ela acabara de completar dezessete anos, e o homem dizia estar ele na idade do sofrimento. Gozava de seus trinta e três anos e relembrava que tinha sido com essa idade que Cristo fora pregado na cruz. Ela, quase menina ainda, nada sabia de amor e pouco de sexo. Até então, só experimentara olhares amedrontados e timidamente fogosos para os rapazinhos, vizinhos e ex-colegas de escola. Um dia, em uma festa da família, um enteado de uma de suas tias, enquanto dançava, lhe deu rapidamente um beijo no rosto. Tina desvencilhou-se dele temendo a repreensão das mulheres mais velhas, mãe, tias e primas. Ninguém tinha visto, mas assim mesmo faltaram-lhe a coragem e o desejo para voltar à sala. Homens, dentre outros assuntos, como amor e sexo, provocavam pouca fala em sua família. Temas interditados, embora quase todas as mulheres, mesmo as mais jovens, tivessem sempre filhos. Da mãe, sempre escutara que homem era o bicho mais perigoso, principalmente se fosse muito bonito. E completava a fala dizendo que eles não passavam de meninos grandes, que viviam agarrados às saias das mulheres em busca de proteção ou de brinquedo. Brinquedo esse em que, se a mulher não cuidasse, não desconfiasse ela mesma, o corpo dela poderia se transformar em joguinho nas mãos deles. Sobre as mulheres em geral, as considerações costumavam ser mais complacentes. Os julgamentos a respeito delas eram mais variáveis; apresentadas sempre como mais humanas, a não ser quando abandonavam os filhos.

Do pai, Tina nada conhecia, tivera poucos contatos com ele na infância. E, assim que foi ficando mocinha, a mãe a proibiu de falar com ele. Tina não se incomodou, o pai não lhe fazia falta, estava acostumada com a inexistência dele. Como não tivera a presença da figura paterna nem a proximidade de outros homens, como padrasto, avôs, tios ou qualquer parente masculino, Tina cresceu desconhecendo os homens. Sua mãe, tias, irmãs, primas e amigas compunham o seu mundo bipartido. As mulheres aqui, os homens lá longe, afastados.

O primeiro homem que Tina conheceu foi então Fio Jasmim. Tudo começou com um encontro casual. Ele e Pérola Maria eram vizinhos de uma prima-irmã de Tina. Um dia, em um domingo festivo, a família dela foi visitar esses parentes, que moravam em um bairro distante. Nesse dia, Fio Jasmim entraria na vida de Tina para sempre. No momento exato em que ele saiu de casa e ganhou a rua, Tina pisou no quarteirão de Floripes, sua prima. Tina Maria Perpétua ia, Fio Jasmim vinha. Um caminhando em direção ao outro. Tina chegando, Jasmim saindo. E quando se contemplaram, já bem próximos, uma desconcertante ardência queimou o rosto de Tina. "Não de timidez", — afirmava ela sempre. "Foi como se aquele homem que vinha andando em minha direção, no momento exato em que o corpo dele parecia querer invadir o espaço do meu corpo, ele me atingisse com um inesperado e violento tapa no rosto. Foi tão concreto o peso da bofetada na minha face, que busquei vestígios de qualquer movimentação do homem que me agredira do nada para o nada. Nada encontrei de movimento. As mãos de Fio Jasmim sequer haviam mexido dentro do bolso." Tempos depois, quando os dois conversaram sobre o primeiro encontro, tão casual, o próprio Fio Jasmim reconstituiu a cena reforçando a versão de Tina. Ele apreendera no rosto dela, no momento exato em que os seus corpos quase se trombaram, um movimento de contração na face de Tina, como se ela estivesse padecendo de uma estranha e inexplicável dor.

**Floripes,** também de sobrenome Maria Perpétua, ainda era jovem; porém, mais vivida do que Tina. Logo entendeu o interesse da moça, quando ela comentou sobre o homem, com o qual havia cruzado minutos antes. Já era hora de a prima começar a pensar em namorar, mas Fio Jasmim não seria o caminho certo. Ouviu o pouco que Tina falou do homem que acabara de cruzar pelo caminho, mas não alcançou nada dos sentimentos da prima mais jovem. Assim como não decifrou a inexplicável sensação que a moça disse ter experimentado, a de ter sido esbofeteada no rosto por aquele homem. Crendo que Tina estivesse jogando verde para colher maduro, querendo todas as informações sobre o sujeito que lhe atravessara o caminho, Floripes abriu o verbo. Sem que a outra lhe perguntasse explicitamente nada, Perpétua cantou a pedra e disse tudo o que sabia de Fio Jasmim. Da mulher que ele considerava como pérola, a Pérola, e das outras joias que ele colecionava, de menor grandeza. Falou também dos filhos do homem, que naquela época não eram ainda tantos. Aproveitando o interesse que Tina havia demonstrado por Fio Jasmim, Floripes, como prima mais velha, se sentia no dever de cuidar da prima mais nova. E, já tendo experimentado algumas incursões no terreno masculino, se esforçava para explicar para Tina o quão era movediço aquele espaço. Sem saber como dizer, como provar a instabilidade do terreno, no qual Tina estava prestes a pisar, Floripes se limitava a repetir que homem era muito perigoso, muito perigoso, muito mesmo...

**Dos perigos** oferecidos pelos homens, apregoados pelos vários parentes de Tina e, talvez mesmo, pelos próprios familiares da esposa de Fio Jasmim, especialmente pelas mulheres, parece que Pérola só conhecia ou só acreditava em um. Os homens faziam filhos. E faziam assim como jogavam bolas, soltavam pipas ou como se tudo fosse uma piada, uma conversa picante a respeito das mulheres. Assim eles faziam filhos. Podiam até amá-los depois, como o próprio Jasmim parecia amar os deles com Pérola Maria, mas nunca pensavam antes de concebê-los, deixavam tudo para a mulher pensar e resolver.

Se fazer filho era o mal maior que um homem podia causar a uma mulher, para Pérola, perigo não era. Ela gostava de ter filhos. Gostava de parir. Já tinha dado à luz quase uma dezena de filhos, todos de parto normal. E a cada filho parido bendizia o momento do parto e lamentava a fugacidade do tempo escorregadio em que os bebês deslizavam de dentro dela. Talvez fosse esse o singular prazer de Pérola. Algumas mulheres de nossa confraria juravam que um dia tinham ouvido uma fala dela. Em altos elogios, ela bendizia a hora do parto. Foi essa a única afirmação que nos chegou, com testemunhas ouvintes, sobre alguma coisa que a mulher de Fio Jasmim teria dito. Na ocasião, ela estava saindo da igreja, ou melhor, vinha da pia batismal, carregando o seu nono ou décimo filho. Mamãe Pérola vinha feliz ao lado de Fio Jasmim, que nem para os lados olhava. Pessoalmente, nunca ouvi nada de Pérola, mas só o que as outras diziam sobre ela. Afirmavam, por exemplo, que ela não amava o marido tanto assim e que pouco se incomodava com as proezas extraconjugais dele. O que ela esperava de Fio era a garantia de engravidar para parir depois. E isto estava garantido sempre. Se fosse possível — ouvi dizer ser essa igualmente uma afirmativa de Pérola Maria —, seria dela também o momento de parto de todas as outras mulheres que o marido teria tido. Ela teria dito ainda que lamentava e muito a infeliz sorte de Tina. A moça não tinha tido o prazer do gozo maior, a de sentir um bebê, uma vida dentro dela. Em Tina, Fio ainda não lhe fizera filho algum.

**Fio Jasmim** tinha uma indubitável certeza do amor de Pérola Maria. Ele afirmava o sentimento que a esposa nutria por ele aos quatro ventos. Tinha tanta certeza que, quando partia para novas conquistas, nenhum esforço fazia em busca de bons resultados. Caso não conseguisse, pensava Fio Jasmim, Pérola estaria em casa, sempre aguardando por ele. Para Fio, Pérola não oferecia enganos.

Ancorar seu corpo nos corpos de diversas mulheres tinha sido uma lição que Fio Jasmim aprendera com o próprio pai. Filho de Máximo Jasmim, um homem de pequeno porte, aparentemente tímido e que tinha uma prole de dezessete filhos espalhados pelo interior das Gerais afora. Fio, um dos mais novos rebentos de Máximo, fora concebido em uma menina de quinze anos, quando o homem já beirava os seus quase sessenta. Fio cresceu ouvindo as proezas do pai. Aprendera com ele que ser homem era ter várias mulheres. E o mais certo era escolher, dentre elas, uma mais certa ainda para o casamento. Cedo, Fio Jasmim começou a buscar avidamente por mulheres, como se o nosso corpo não tivesse outra função, a não ser a de ancoradouro para os homens. Aprendiz de maquinista, habilidade também herdada de Máximo Jasmim, Fio, desde o seu tempo de rapazinho, foi contratado pela empresa em que o seu pai trabalhara antes. E, em uma rede ferroviária, Fio varara o coração do Brasil em caminhos de ferro. Para descansar da lida, vida corrida sobre os trilhos durante dias e dias, Fio Jasmim buscava outras paisagens. Se quedava nos corpos das mulheres. A cada encontro, se pensava mais macho e, portanto, mais feliz. A cada retorno à sua pequenina cidade natal, chegava alardeando suas conquistas diante dos colegas, rapazolas de poucas experiências de viagens, sobre o corpo das mulheres. O pai de Jasmim, homem já maduro, cuja flor já não gozava de haste tão rija, sorria feliz ouvindo as histórias do filho. Na escuta dos jactados encontros de Jasmim com as mulheres, o pai, saudoso das façanhas do passado, se reconhecia na virilidade do filho. Ficava imaginando mulheres oferecidas diante dele a brincar desejantes e carinhosas com seu ereto lírio negro. Bem se vê que a lição que Fio Jasmim tivera em casa estava sendo muito bem aproveitada.

Fio não defendia nem acusava nenhuma mulher que tinha surgido em sua vida, a não ser Tina. Do amor da moça, ele se colocava como vítima. Havia algo em Tina que deixava Jasmim conturbado e preso. Ela não exigia nada, como outras surgidas nos caminhos dele; mas havia um quê de pedido e de imposição em cada ato da moça. Fio se lembrava perfeitamente da primeira vez que tinha visto Tina. Ela era bem jovem. Na ocasião, a moça vestia uma saia de um tom marrom, meio rodada. Esboços de riscas de um esmaecido amarelo timidamente salpicavam o tecido. Porém, a blusa ostentava uma cor amarelo-ouro a contaminar de brilho tudo em volta. Era pouco mais de meio-dia, o sol a pino era a própria moça. Ela parecia fazer movimentos não em direção a ele, mas sobre ele. Era como se quisesse se acomodar bem no alto da cabeça dele. Instintivamente, quis levantar as mãos para se proteger, mas não teve coragem de retirá-las do bolso. Desesperou-se quase. Veio em sua lembrança uma repetida frase, quando ele, criança ainda, brincando ou mesmo brigando aos murros com outros meninos, ouvia a voz da mãe dizer:

— Cuidado com a moleira de Jasmim! Cuidado, ele tem a moleira aberta!

Será que aquela moça queria lhe ferir a cabeça, atingindo-lhe bem em cheio a sua moleira? Mas, novamente encantado pelo conjunto da imagem, caminhou sem querer em direção a ela. Quis se desviar para o canto ou para a lateral da calçada, mas não conseguiu também. Ela avançava, avançava sobre ele. Desistiu e aceitou a única via que lhe era possível no momento, como se o corpo da moça fosse um ímã a arrastar o dele. Já estavam muito próximos, quando repentinamente ela virou o rosto. Foi tão brusco o movimento que ele julgou que ela fosse cair. E, na finitude de um aproximado milésimo de segundo, Fio Jasmim captou uma profunda expressão de dor que se desenhou no rosto de Juventina Maria Perpétua. A agonia daquele quase instante lhe pertenceu também.

Fio Jasmim era mesmo um homem sem juízo algum. Devia ser porque nascera com a moleira aberta, que não fechava nunca, diziam. Tardiamente, já beirando os nove anos, foi que a fenda do alto da cabeça dele fechou. E parece que nem fechou inteiramente, tantas eram as proezas que o homem arranjava.

Fio Jasmim talvez nunca tenha sido apaixonado pela moça Juventina Maria Perpétua, mas, quando se conheceram, logo-logo se tornou necessitado do corpo e do amor dela. Tina tinha um corpo virgem de toques, mas que se eriçava todo ávido sob o olhar dele. Fio sabia adivinhar os desejos envergonhados da Virgem de Ébano. E satisfazia todos como se estivesse oferecendo a Tina uma dádiva, sem nada ter em troca. Ela, iniciante nos prazeres que lhe causavam vergonha e medo, acreditava que a boca de Jasmim a lhe percorrer o corpo fosse um bem só para ela. Com certeza, Fio, por amá-la tanto, lhe oferecia a leveza da língua para não a machucar no mais profundo de seu corpo. Ele sabia que ela era virgem. Sim, Fio Jasmim lhe oferecia a leveza da língua. Sabia compor declarações de amor, com palavras e tom de voz cuidadosamente escolhidos. Nunca pronunciara a expressão fazer sexo com ela, e, sim, fazer amor. Não o amor, que pode figurar violento na imagem de dois corpos em desespero buscando sincronizar movimentos, mas de corpos se amando em calma. E, contendo desejos de arrancar as roupas de Tina, desde o primeiro encontro, Fio Jasmim pedia a ela, quase suplicava que ela se desnudasse para ele. E também perguntava sempre se podia tocá-la levemente com as mãos e com a língua. A moça atendia ao desejo dele e se apresentava nua, mas por debaixo dos lençóis. Fio Jasmim cumpria, então, um longo ritual de preparação para o encantamento extremo. Muitos eram os usos da língua. Palavras, gestos e gostos. Tudo que rimasse com candura, estrelas no céu da boca, mundo de mil e tantas maravilhas... E vinha, então, o momento do gozo final. Primeiro, o dela, e depois, o dele, já longe do corpo da moça. Ela devia continuar nua e descoberta, para que ele pudesse contemplar a Virgem de Ébano.

Tina bendizia prazerosa a virgindade que ela carregava em si e agradecia aos gestos comedidos de Fio que inventava formas de lhe fazer prazer. E a cada encontro em que ela se dava passiva, exposta, aberta ao olhar e às carícias do homem, mais o corpo desejador de Tina se tornava um bem para Fio Jasmim. Só olhando, só de ver, Fio Jasmim sentia as pulsações da negra-flor de Juventina. E ela grata, crendo no sacrifício que ele fazia por viver carícias suspensas, ou melhor, nem iniciadas. Fio gostava dela e se privava do encanto-gozo, momento em que o corpo do homem preenche o úmido vácuo do corpo da mulher, tudo pela condição de virgindade dela.

Tina Maria jamais percebeu que tudo era um jogo que ele escolhera jogar. De tantas mulheres que o homem tinha, podia escolher formas diferenciadas de possuí-las. Cada mulher podia ser um caminho; ele, enquanto homem, pensava que lhe cabia encontrar os passos exatos para atravessá-la.

**JUVENTINA MARIA PERPÉTUA**, Tina em tempos passados, se percebeu em seus sentimentos; ela já estava apaixonada por Fio Jasmim. Paixão primeira. Paixão em que a menina, mulher jovem, se coloca nas mãos de um homem, se dando toda. E assim foi. Na expectativa e na certeza de encontrá-lo, Tina passou a frequentar mais vezes a casa da prima mais velha, Floripes Maria. Ali encontrava, ou melhor, via na casa ao lado, Fio Jasmim que lhe sorria sempre. Via também Pérola Maria, sempre rodeada de crianças. A peregrinação de Tina para rever Fio gastou um tempo de infindáveis meses. Um dia, porém, um encontro pôde ser objetivamente traçado. Tina estava passeando na calçada da casa da prima e de Fio, junto com outra mocinha da família, quando o homem apontou no portão. Repentinamente, Fio Jasmim colheu uma flor margarida do jardim dele e se encaminhou em direção às duas. Tina sabia que a flor seria para ela, mas, como Jasmim resolveria a decisão da oferta, a outra mocinha provocou a solução. Avidamente, pediu a flor a Fio Jasmim. Ele, delicadamente, declarou que a flor seria para Tina, pois ela não havia pedido nada. A mocinha saiu ofendida e sem graça. E, nos poucos instantes em que uma flor margarida enfeitava o ar, um número de telefone dançava das mãos de Jasmim para as de Tina. Um homem pedia e aguardava ser chamado por uma mulher.

    Desde a oferenda da flor à Virgem de Ébano, muitos dias se passaram, até que Tina resolveu ligar para Jasmim. Ela sabia que o homem era casado; não só casado, mas que era dos tais que gostavam de brincar com as mulheres. Tina deixou-se levar pela lábia dele, falaram as outras, foi porque quis. Avisos, conselhos não faltaram. Ela fora educada sabendo que havia homens que gostavam somente de brincar com as mulheres. Esses costumavam eleger uma, a esposa, aquela com a qual eles tinham os filhos registrados, as outras eram consideradas como as mulheres da rua. E, se tivessem filhos com elas, os filhos eram tidos como da rua também. Com a mãe dela havia sido assim. O pai de sua irmã mais velha agira dessa forma. Ela, a segunda filha, sabia somente que um outro homem, seu pai, também não ficara, tinha partido antes mesmo de ela nascer. Do pai, Tina mal sabia o apelido. As suas duas outras irmãs, as mais novas, os pais eram homens também desconhecidos para elas. A mãe de Tina, Alda Jovelina, parecia querer devolver com a mesma intensidade o desprezo, o esquecimento e o abandono que esses homens ofereciam a ela e às suas filhas. O nome do pai nunca era dito. Só o da mãe. Pai era uma imagem vazia. Durante muito tempo, época ainda da infância de Tina, só a mãe e as tias lhe bastavam para a sua vida-menina. De pai, alguém que não era, e se tornou, havia o tio velhinho, marido de uma de suas tias. Tio Antônio Pedro Miango lhe contava histórias e lhe pedia o cachimbo, sempre perdido em qualquer canto da casa. Como filha, a sobrinha dileta do casal, lhe enchia com água morna a bacia para que o velho lavasse os pés. Gestos de carinho, o velho tio oferecia a Tina, quando a menina ia à casa da tia, cômodo agarradinho à casa da mãe. Tio Antônio Pedro Miango se dedicava à apontação dos lápis, da menina. Era com tamanho esmero, com tamanha engenhosidade o tal serviço, que o desbastamento da madeira que encobre o grafite ganhava um tom de obra de arte. E ao escrever ou desenhar, muitas vezes, ela se perdia na contemplação do lápis. Em pensamento, inventava mil histórias para o objeto, que descansava do nada feito nas mãos de Tina. Era assim que Tina recebia o Tio Antônio Pedro Miango. Ele poderia ser o seu pai. Pai era uma pessoa que lhe contava histórias e que lhe apontava os lápis pretos e coloridos. De pai bastava isso. E quando esse pai, imagem que se fez, foi abraçado pela morte, depois de uma longa vida, Tina chorou a orfandade vivida na ocasião. Não sabia como se lembrar do homem que lhe fizera no útero materno e nada mais. Ali pelos treze ou quatorze anos, foi que Tina começou a perguntar sobre a existência de um pai. E a faltosa representação de um homem que seria seu pai, como inexplicável angústia, passou a povoar por uns tempos os pensamentos dela.

A imagem do pai de Tina vinha sempre representada por um homem com o peito cheio de pelos, que lhe causavam asco. Para que e por que o pai abrira a camisa no meio da rua e exibira o peito para ela? E por que afirmara que as mulheres gostavam dele por isso? Esse gesto, Tina assistiu ao homem fazer, na terceira vez em que se encontraram. Na ocasião, os dois ainda estavam em tempos de reconhecimento um do outro, quando um encontro inesperado na rua aconteceu. Ela voltava da escola e ouviu o chamado de um homem que vinha de bicicleta, atrás dela. Apressou o passo. Ele se aproximou. Parecia ter raiva na voz. Amedrontada, Tina parou. O homem se apresentou perguntando se ela não se lembrava dele. Tina disse que não. Ele disse o nome completo; nada adiantou, ela nunca ouvira o nome que ele acabara de pronunciar. Em tom irritado, o homem se apresentou como sendo o pai dela. Falou o nome da mãe, das tias de Juventina e o endereço exato da ruazinha em que a família dela morava. Tina experimentava, ainda, um sentimento de temor, mas pensou que poderia tratar--se realmente do pai dela. O homem estava todo salpicado de cal e tinta de pintar paredes, sobre uma bicicleta velha. Tinha sido dessa forma que, um dia, Tina ouvira uma de suas tias descrevê-lo. A tia de Juventina, casualmente, havia encontrado com ele na rua. A conversa sobre o encontro se dera entre essa tia e a mãe dela. Só a tia falava e falava. A mãe, em uma quase mudez e em uma total ausência de gestos, parecia não querer ouvir nada. Foi nesse momento de conversa e de informações tão difusas que Tina apreendeu a imagem do pai: um homem pintor de paredes, sujo de tinta, a pedalar uma velha bicicleta.

À noite, longe da tia, a mãe, com uma voz que parecia embargada de choro e raiva, recomendou algo para Tina. Aliás, não foi uma recomendação e sim uma ordem. Ordenou a Tina que, se, em alguma ocasião, um sujeito sujo de tinta, sobre uma bicicleta velha se aproximasse e dissesse ser o pai dela, que ela fizesse qualquer coisa, mas não desse ouvido para ele. Por isso, naquele dia, Tina, obediente ainda aos preceitos maternos, queria fugir do tal homem. Queria abreviar o encontro, mas não conseguiu. A voz dele era tão impositiva que a menina continuou ouvindo o que ele dizia. Havia medo e curiosidade. Ele dizia do distanciamento dele e dos empecilhos de aparecer como pai para ela. Não era culpa dele, não era culpa dele, não era! A mãe dela, ela sim, era a única culpada. Era uma mulher muito ciumenta. Não suportava saber que muitas mulheres gostavam dele, pois ele era um homem muito atraente. Tinha um corpo bonito; é verdade que não tinha dinheiro, mas tinha um lugar macio, em que as mulheres gostavam de deitar a cabeça. E dizendo isto, foi abrindo a camisa para exibir a grama negra que lhe cobria o peito. Um mal-estar indefinido percorreu o corpo da menina. Uma sensação de asco e de vontade de vômitos. Desejou a mãe por perto. Abaixou a cabeça e não contemplou mais o rosto do homem. Desse dia em diante, ela, que pouco sabia do pai, nada mais soube. A visão desse pai, não pai, e qualquer referência sobre ele, tudo ficou soterrado nos vãos dos vãos da desmemória de Tina.

**INDEPENDENTEMENTE DA AFIRMATIVA** de que a paixão ou o amor podem ser construídos e mantidos durante os longos tempos de vivência com a outra pessoa, Juventina parece ter construído esses sentimentos sozinha. Amou e se apaixonou sozinha. Nunca soube, nunca experimentou a ressonância desses sentimentos, nunca viveu o retorno de uma paixão de Fio Jasmim para ela. Fez da vida só um tempo de amor só. Amou sozinha. Amou só. Só o amor dela para Fio Jasmim e nunca experimentou o de Fio Jasmim para com ela. Nunca buscou o mais profundo de Fio Jasmim. Nunca pediu nada a ele. Nem a presença. Seu corpo, seu amor, sua vida foram oferendas para o Fio Jasmim durante anos e anos. A oferta de Tina se dava sem que ela percebesse que o que importava para Fio não era a virgindade dela, como ele a fazia crer. O cuidado dele com a virgindade de Juventina era um experimento delicioso para ele. Não penetrar Tina fazia parte do jogo sexual dele, pois ao chegar em casa, quase sempre, lá estava Pérola Maria, para acolhê-lo em seu membro em busca de uma ardente penetração. Lá estava Pérola pronta, plena de desejos de fazer mais um filho. Ela sempre queria o gozo do marido dentro dela. Portanto, para Jasmim, todas as vezes, tão prazerosos eram os encontros com Tina. Com ela, Fio cumpria os rituais de iniciação. Com Pérola Maria, ele chegava ao final do jogo, o gozo. Mais prazer ainda ele sentia quando visitava Tina e não cumpria logo em seguida o encontro com Pérola Maria. Pois, no tempo, no espaço entre o da posse do corpo de Tina e o da posse do corpo de Pérola, Jasmim, por pensamento, dava longa continuidade ao exercício da excitação.

Assim, o corpo de Tina também se acostumou à única forma de chegar ao prazer, àquela que lhe foi dada a conhecer por Fio Jasmim. Nunca mais, nem em desejo, Juventina imaginou outra pessoa a lhe tomar o corpo. Ninguém mais coube nos sentimentos de Juventina Maria Perpétua. As pessoas que se aproximavam nunca encontravam ecos dos sentimentos oferecidos a ela. Durante quase duas décadas, o amor dela por Fio se afirmou sempre em tom crescente, mesmo quando não havia mais motivo, nem mais a presença dele para amá-lo tanto. Foi um sentimento que se deu de tal forma que Juventina amaria todas as mulheres de Fio Jasmim, se essa fosse uma condição para continuar sendo dele.

**ELEONORA DISTINTA DE SÁ**, em um dia de pouca sorte, havia se atrasado e perdido um encontro no bar com uma amiga que ela não via havia tempos. O sentimento de frustração foi tão grande que Eleonora ficou ali bebendo por longo tempo, embora nem gostasse tanto do ambiente. Homens sozinhos ou acompanhados por mulheres entravam falando alto, rindo aos estrondos, assim como suas acompanhantes. Uma ou outra pessoa entrava discretamente e se assentava sozinha. Eleonora queria se retirar, mas uma esperança descabida a mantinha ali na expectativa de que a amiga ainda pudesse voltar. Espera vã, segundo a balconista; a moça já estivera lá e ficara aguardando por muito tempo, quase uma hora. A amiga poderia tanto voltar — desejava Eleonora —, *estou aqui para retomarmos o passado e, quem sabe, seguir em frente*. Distinta de Sá experimentava uma angustiante sensação de ter perdido todos os tempos de sua vida. Um passado incompleto, em que não pudera viver tudo o que queria viver com a amiga; o presente, por ter perdido o encontro do dia; e o futuro, que não se realizaria jamais. A moça já tinha ido. Paralisada, Eleonora já estava na sexta ou sétima garrafa de cerveja quando um homem sozinho, Fio Jasmim, apontou na porta do bar. Entrou olhando com atenção para todas as mesas, como se estivesse procurando alguém, até que seu olhar descobriu uma mulher sozinha. Discretamente, Fio Jasmim se assentou na mesa ao lado e contou quantas garrafas a moça já havia consumido. Sete, e acabava de pedir a oitava. Já devia estar bêbada, pensou ele. E se pôs, agora, não mais tão discretamente, a observar os gestos da moça. Procurava alguma tremura, algum gesto mal feito, algum motivo para derramamento do copo. E, quando isso acontecesse, ele poderia se colocar solícito e pular para a mesa dela. Nada acontecia. Só o olhar triste e vazio da moça vagava de um canto ao outro do recinto, em busca de algo ou de alguém. Sem saber por quê, Fio Jasmim se sentiu só e triste também. Desejou ter ali, junto dele, todas as mulheres que ele tinha tido um dia e as que ainda se faziam presentes: Pérola Maria e Tina Maria Perpétua. Olhou para a moça, não mais querendo lhe oferecer companhia, mas pedindo amparo, acolhida. Tinha tanto medo de acabar só. E se todas as mulheres do mundo brigassem com ele? Se elas fizessem um complô contra ele. Por favor, moça, me acolha, a solidão às vezes me dói da cabeça aos pés.

Eleonora Distinta de Sá buscou, lá do fundo de sua tão antiga solidão, um sorriso para oferecer ao Fio Jasmim. Conseguiu. E foi tão convidativo o sorriso de Distinta de Sá, que Fio Jasmim, sem qualquer cerimônia, se encaminhou para a mesa dela. Foi ele que, bastante lúcido, tendo bebido apenas dois copos, esbarrou em uma das garrafas, derrubando tudo. Garrafas gargalharam no ar; a risada dos dois também. Tudo muito rápido. Os acontecimentos se deram como se o mundo fosse terminar no instante seguinte, não podendo, pois, desperdiçar um lapso do tempo. Era preciso acontecer tudo, antes que a vida se esvaísse. Olhares trocados, corpos mudando de lugar, garrafas espatifadas e rindo junto com dois humanos. E, ainda, o som de um compulsivo choro.

Sim, das gargalhadas às lágrimas. Fio Jasmim caiu em um pranto profundo. Em um profundo e doloroso pranto.

Horas depois, o proprietário do bar pediu aos dois últimos clientes que se retirassem. A madrugada já estava no quase anunciar do dia.

Um homem e uma mulher se dirigem para algum lugar bêbados dentro da madrugada. O desequilíbrio de um corpo ampara o balanceio do outro. A cada passo, hesitavam, titubeavam, mas não caíam, seguiam. Eleonora e Jasmim, desde o encontro no bar, se tornaram cúmplices na solidão e selaram uma amizade, pelo tempo afora. Tinham segredos, quase iguais. Jasmim não podia viver sem as suas mulheres. Eleonora também não. Embora a dela fosse apenas uma. A moça do encontro no bar, a que nunca fora dela, a não ser só em desejos. E, pela primeira vez na vida, Fio Jasmim se aproximou de uma mulher não para cortejá-la, e sim para pedir amparo. Com o coração a explodir de um sentimento nunca antes experimentado, duas imagens se avultavam: Pérola Maria, a sua esposa, e Maria Perpétua, a moça-dádiva, a Virgem de Ébano na vida dele.

Para Eleonora, a experiência também foi única. Levou um homem para dentro de casa, dormiu lado a lado com ele e não viveu qualquer temor. Descobriu que os homens, alguns, ou especialmente aquele, tão mulherengo — conclusão a que ela chegara pelas exageradas histórias de conquistas que ele havia contado —, podia se tornar um irmão.

**FIO JASMIM**, depois que se entendera por gente, ou melhor, bem antes, ali pelos dez anos, chorara muito pouco diante de alguém. Se tinha raiva, medo ou tristeza, lágrimas vertidas para dentro pretendiam dar conta de qualquer sentimento. Aprendera, desde cedo, a engolir o choro e deixar de lado qualquer sentimento que parecesse dor ou tristeza. Só a raiva era permitida, se não fosse contra os mais velhos. Raiva, explosão, enfrentamento na rua eram atitudes de um menino que estava se tornando homem. Mas uma advertência o pai fazia: cuidado com as mulheres. Se brigasse com elas, que medisse as palavras e evitasse discutir, porque as mulheres, quando começavam, não paravam. Também não era bom brigar com elas, contrariá-las, pois elas podiam negar um bem precioso que só elas possuíam. Mas essa parte do conselho ele só entenderia quando fosse maior, quando estivesse casado talvez...

Seguidor dos conselhos do pai e dos homens mais velhos, Fio Jasmim acreditava que, como homem, ele era um sujeito bom e certo. Trabalhava, supria as necessidades da mulher e dos filhos do casamento, pois esses, ele tinha a certeza que eram dele. Os outros, não tinha certeza alguma, mas os presenteava de vez em quando, na medida de possíveis encontros, o que era raro. Também as mães davam conta sozinhas, não precisavam dele financeiramente. Talvez ele tivesse filhos, que nem ele mesmo soubesse que existiam. Tratava bem a sua mulher em casa, que desconfiava dos bordejos que ele dava na rua. Porém, quando a cisma dela se transformava em lágrimas, ele sabia como consolá-la. Aliás, Pérola Maria era uma verdadeira pérola, nunca perdia o brio de uma boa esposa e de uma boa mãe. Por isso ele se esforçava tanto para que não faltasse nada para ela e as crianças. E quanto a Tina, fazia anos que a moça havia se declarado para ele, mas ela sabia que ele era casado e tinha filhos. Mesmo assim, insistiu. Tina era novinha, uma mocinha ainda, e ele, como homem respeitador (o pai sempre dizia que homem de verdade respeita a honra de uma mulher-virgem), nunca havia machucado a moça. Fizera só carinhos superficiais, com os dedos e a boca. Ela gostava de seus carinhos, se acostumou e se viciou como ele. Era muito bom ter as duas. Necessitava, como um apelo vital, da passividade de uma, cuja reação ao prazer dado por ele era respondida sempre por doces gemidos, que mais pareciam uma canção. Ele não seria um homem completo sem a voracidade de Pérola Maria, sua esposa, no acolhimento de seu membro ereto, antes preparado, quando a sua boca e dedos percorriam com mansidão o corpo de Tina. Mas, alguma coisa, um quê de tristeza em Juventina lhe causava um incômodo. A moça sofria por ele? Nunca lhe pedia nada. Às vezes, ele passava dias, meses sem visitá-la e sem dar um telefonema sequer, e, quando chegava, a acolhida era a mesma. Houve um ano, acho que no nono em que o amor deles estava acontecendo, Jasmim ficara quase seis meses fora em viagem de trabalho e não mandara uma notícia qualquer. Quando chegou de repente, anunciando que passaria a noite com ela, Tina sorriu feliz, dizendo que tinha uma surpresa, feita por ela, para ele. Depois do saudoso amor vivido, em que o corpo de Tina ainda se encontrava úmido, por ter sido banhado pelo hálito quente de Fio Jasmim, ela deu a surpresa para ele. Entoou uma belíssima canção, feita mais de vocalização e murmúrios do que de palavras. Ela cantou a "A canção para ninar menino grande".

**ELEONORA DISTINTA DE SÁ**, de certa forma, ficou grata à vida por ter-lhe permitido um encontro com um homem, um encontro de coração para coração, o que não era muito comum. Há muito ela havia perdido a esperança de poder encontrar um homem que ela pudesse compreender como irmão. Não os queria para uma relação amorosa, certeza que ela tivera desde muito novinha, quando os meninos lhe irritavam profundamente com as suas brincadeiras. Ela odiava os meninos, principalmente quando as meninas, coleguinhas dela, escolhiam ficar do lado dos garotos, em qualquer atividade na escola. Naquela época, ela desejava que o mundo fosse partido em dois espaços distintos, sem mistura alguma. O das meninas e o dos meninos. E, à medida que foi crescendo, os sofrimentos, as interdições que sofria por ser mocinha, em desvantagem com a liberdade dada aos irmãos, por serem rapazinhos, isto tudo foi criando nela o desejo de um mundo bipartido. Ela observava que, na prática, o mundo já era assim. Desde pequena, já vinha passando por poucas e boas nas mãos dos machos de sua família, pais e irmãos. Do deboche às surras, até a expulsão de casa, quando tinha dezessete anos, ao se apaixonar pela prima da namorada de seu irmão. As duas se descuidaram e foram apanhadas se beijando no quarto dela. Toda a violência foi praticada com o beneplácito da mãe, que nunca reagia a qualquer mando do pai. Nessa ocasião, Distinta de Sá aprendeu a enfrentar o mundo longe dos seus. Conseguiu um emprego com uma velha senhora, que vivia sozinha com três cachorros em uma antiga mansão, em uma cidade próxima de sua moradia anterior. Mesmo assim, ela nunca mais se encontrou com alguém de sua família. E, ali, Eleonora passou quase dez anos cuidando e sendo cuidada por essa senhora; nunca as duas falaram de suas vidas íntimas uma com a outra, mas criaram um elo profundo de afetividade. Quando essa senhora faleceu, Distinta de Sá, aos vinte e sete anos, já tinha o futuro econômico garantido. A senhora que lhe havia acolhido como filha tinha deixado todos os bens para ela. A vida de Eleonora ganhou novo sentido, o de procura de reconstrução, ou melhor, de uma construção de um passado não vivido. Havia anos, procurava pela moça, e não havia conseguido notícia alguma. O irmão não havia casado com a antiga namorada; foi o que ela soube de longe. Certa ocasião, Distinta de Sá chegou a sair do país, ao receber a informação de que a moça, por quem ela procurava, morava fora, no estrangeiro. Informação falsa. Mas Eleonora não perdia o desejo do reencontro e lamentava profundamente o atraso daquele dia. Tinha certeza de que se tratava de Nina. Sim, tinha sido ela, a menina da sua juventude. Dos poucos, mas sinceros e inesquecíveis beijos trocados, que ela jamais esquecera. A voz era de Nina a sussurrar saudades em seus ouvidos. Tinham se encontrado. Ela também empreendera uma busca, a prova é que tinha o telefone de Eleonora Distinta de Sá. Não ia deixar o contato naquele momento, porque estava sem telefone. Chamava de um telefone público, mas, no bar, trocariam os endereços. E pediu encarecidamente a Eleonora que não se atrasasse, pois ela tinha um compromisso de viagem para a noite. Eleonora saíra de casa com bastante antecedência. Um acidente na via principal do centro da cidade parece que tinha sido encomendado para interceptar novamente a felicidade de Distinta de Sá. Entre prantos e explosões de ira contra o trânsito, depois de ter acolhido o copioso pranto de Fio Jasmim, que não conseguia explicar o motivo de tanta dor, Eleonora ofereceu ao nascente amigo o aconchego de sua casa. Estavam tão carentes, tão desamparados diante da vida, por conta de um sentimento de solidão que nos abate às vezes, que Distinta de Sá acolheu o homem no seu próprio quarto, na sua própria cama. Sim, ela que durante muito tempo, mesmo depois que saiu de casa, continuava acreditando que o mundo precisava ser dividido em duas partes – uma para as mulheres, outra para os homens –, refazia suas impressões. No auge da solidão, aceitou a companhia, o afeto de quem ela cria como sendo seu inimigo, ao perceber que ele também guardava a angústia humana. E ele, que das mulheres só se interessava pelo prazer que elas poderiam oferecer-lhe, esteve lado a lado com uma, sem querer lhe tomar o corpo. Fio Jasmim, pela primeira vez na vida, talvez tenha percebido que o mais sagrado de uma mulher pode se encontrar para além de seu corpo.

**À MEDIDA QUE** Juventina Maria Perpétua ia me contando o motivo da dor que lhe tomara o peito, a voz dela ganhava uma entonação, um timbre de uma mulher muito jovem, em momentos de ser feliz. O que muito me impressionava era como vários detalhes da vida de Fio Jasmim tinham chegado ao conhecimento dela. Teria ele mesmo contado? Como? Fiquei duvidando se toda aquela história era verdade. Teria Fio Jasmim lembrança do que ele tinha vivido com as mulheres que ele tivera, além de Pérola e Tina? Como as histórias dele teriam chegado até ela? Eu sabia também que Tina, ao contrário de Pérola Maria, ao ouvir o que diziam de Jasmim, prestava atenção em tudo. Colhia cada pausa, cada reticência, cada finalização abrupta do que estava sendo contado. Ela não alimentava qualquer dúvida sobre a veracidade das narrativas, cria em tudo que era dito. Tomei conhecimento, então, de que uma das pessoas que muitas vezes trouxe para Juventina Maria Perpétua partes das histórias de Jasmim foi Eleonora Distinta de Sá. Sim, Distinta de Sá se tornou amiga dele, os dois se tornaram unha e carne, e o que doía em um, machucava o outro.

Quando Distinta de Sá contou a Fio Jasmim partes de dores da vida dela, o homem se abismou. Ele nunca tinha prestado muito atenção aos sofrimentos dos outros, nem aos dele próprio. A dor que Jasmim guardava e que nunca comentara com ninguém foi quando não pôde ser o príncipe na escola. Mas tudo havia ficado no passado distante; ao crescer, ele foi construindo seu reino próprio, experimentando modos de viver outras realezas. Dores também não eram sentimentos para homem. E sim das mulheres. Entretanto, parece que elas mesmas sanavam as suas dores, com lágrimas. Pérola Maria era assim. Quando desconfiava de alguma paixão dele com as amigas da rua, chorava-chorava. Ele enxugava as lágrimas dela com beijos e a dor parecia passar. Assim, Fio Jasmim, homem trabalhador desde muito jovem, namorador também, bom marido, cumpridor dos deveres de pai, principalmente com os filhos nascidos do casamento, sem vício algum, a não ser gostar muito de mulher, como ele mesmo afirmava, seguia levando a vida. Foi preciso que esse homem, que se julgava perfeito, encontrasse com Eleonora Distinta de Sá, para que ele se atentasse para as próprias dores e para as que existem no mundo.

**QUANDO FIO JASMIM** escutou da boca de uma mulher uma contida confissão de amor, que não era dirigida para um homem e sim para outra mulher, ele quase não acreditou. Já tinha ouvido de mulheres que não gostavam de homens, mas não conhecia nenhuma delas que gostasse de mulher. Aliás, ainda pequeno, ouvia algumas vezes sobre uma prima distante, que causava um zum-zum-zum na família. Diziam que a moça havia deixado o noivo, às vésperas do casamento, para ficar com uma mulher. Fio cresceu e nunca mais ouviu falar de prima Eulália. Quanto a homem gostar de homem, ele conhecia de perto alguns poucos, ninguém da família. Jasmim até brincava que gostava deles, pois eram homens do tipo que nunca competiriam pelas mulheres com ele. E, mesmo se competissem, ele ganharia, pois o dono da virilidade era ele. Era essa a visão que Fio Jasmim tinha a respeito das relações amorosas entre pessoas iguais. Foi preciso a vivência de Distinta de Sá para que ele entendesse que duas mulheres podiam se amar entre si até o infinito. E, mais do que isso, a dor de um amor não vivido e a angustiante preocupação de Eleonora sobre o que seria a vida da mulher que ela queria tanto, se ela era feliz ou não, provocou em Fio um pensamento nunca experimentado antes. As mulheres que tinham passado por sua vida e as duas que ainda estavam com ele eram felizes? Elas eram felizes? E ele era? Ah, parece que era. Fio buscava na lembrança sua vida de menino. E o menino príncipe que ele queria ser, a única lembrança amarga de infância. Lembrava-se do pai cuidando de trazer o alimento para dentro de casa e ensinando ao filho, quando ele ficou rapazinho, como conquistar as mulheres. Lembrava-se do silêncio da mãe, que era bem mais jovem do que o pai, obediente a ele também, e da retirada dela de perto do marido, quando a conversa era de homem para homem. Sim, ele fora feliz na infância e pela vida afora. Felicidade não era para pensar e sim para viver. Sim, ele era feliz. E por que não ser? No entanto, um sentimento lhe acometia sempre, no final de cada gozo, quando ele pensava que o êxtase final seria eterno; mas tudo acabava como sempre. Sua virilidade murcha, satisfeita, lassa, e o vazio lá dentro. Um vazio tão lá dentro a lhe pedir para tentar sempre e mais mulheres. Sempre e mais gozo. Foi preciso o encontro com Eleonora Distinta de Sá, foi preciso a amizade com ela, para que Fio Jasmim compreendesse que a vida não se resumia no encaixe do entremeio de pernas de um macho com o entremeio de pernas de uma fêmea. Fio entendeu que, para esvaziar um pouco o vazio que ele trazia de nascença no peito, era preciso bem mais. Era preciso encontros. Quais tinham sido os encontros em sua vida? E a moça de sandálias com pés descalços? Caminhara ela por vias próprias, atenuando seu próprio vazio? E a outra, a que esperava ardentemente por um noivo? A que, ao entender que o bem-chegado não era o dela, segundo dizem, se lançou no vazio da morte, pulando no abismo. Teria ela sido feliz enquanto ilusoriamente viveu a certeza do encontro possível com o tão esperado noivo? E moça do Rio Naipã experimentava a felicidade em seu estado de fluidez, enquanto nadava livre em sua nudez? Teria ela vivido uma felicidade apreensível, ou a condição de ser feliz lhe escorria e não voltava jamais, assim como a água que lhe passava pelo corpo? E a outra, aquela que se dispunha a ser mulher-remanso para as dores de um homem, contanto que ele fosse a quietação para as tormentas dela? E a mulher das joias, saberia ela qual o maior bem da vida? Que joia colocar no lado esquerdo do peito? Compreendera ela a alma humana, a dela própria, assim como ela percebia a alma da pedra-joia? E aquela que sagazmente descobrira que tudo era mercadoria, que tudo era vendável, inclusive corpo. Teria ela agarrado a felicidade realizando um destino que ela mesma traçou, a partir de seus próprios desejos? E o vazio de Pérola Maria, ela preencheria com filhos? E o vazio de Juventina Maria Perpétua? Teria ela criado a sua própria redenção permitindo em si um estado passivo, aberto, receptor de paixões traduzidas em música, em arte? E ele e seus vazios?

**Eleonora Distinta de Sá** conheceu Tina pessoalmente algum tempo mais tarde, depois que a vida ocasionou o encontro entre ela e Fio Jasmim na mesa de um bar. Jasmim era um homem de muitas brincadeiras e piadas, cuja motivação do riso se tratava sempre de mulheres. Apesar de as conversas de Jasmim com outros homens girarem sempre em torno das mulheres, ele, como grande parte de seus amigos, pouco sabia sobre elas. Fio, por exemplo, nunca tinha buscado dentro dele as mulheres que viviam em seus dias. Que lugar elas ocupavam na vida dele? Onde as mulheres de Jasmim habitavam nele? No entremeio do corpo dele? No entremeio dele todo como pessoa, como homem?

Na noite do primeiro encontro de Fio com Distinta de Sá, ele falou de quase todas, desde as primeiras namoradas.

Várias delas eram apenas imagens difusas, saias, calças ou outros acessórios femininos a rodopiar no ar. Sobre Pérola Maria, ele soube falar um pouco mais. De Juventina Perpétua, para o espanto da ouvinte, ele falou tanto-tanto, que despertou em Eleonora o desejo de conhecê-la. Fio relembrou que, quando ele conheceu Tina, ela era bem jovem, tinha acabado de completar dezoito anos. Das mãos e da boca de Fio Jasmim, Tina tinha recebido as primeiras juras e brincadeiras amorosas, os primeiros afagos repletos de desejo e prazer. Mas foi também de Jasmim que ela ouviu as primeiras repreendas significativas do desprezo da pessoa amada, quando o amor oferecido de uma ultrapassa a necessidade da outra. A juventude de Tina tinha sido toda dele, e a maturidade também. O frescor do corpo de Tina, assim como as tímidas rugas que ameaçavam assaltá-la ao longo do tempo, tudo foi umedecido pela farta saliva de Fio Jasmim. Só a língua, a boca e os dedos de Jasmim diziam do amor dele para com Tina. Ela construiu modos de ser de Fio Jasmim. Aprendeu a viver para ele. E se sentia tão na vida de Fio, assim como Pérola Maria se sentia. Só não tinha filhos, mas filhos não queria. Não queria garantia de papéis escritos nem dos bens de Jasmim. Não precisava dos bens dele. O que ela queria de Fio era o que ele podia lhe dar. As pessoas comentavam que Tina estava perdendo a juventude, tempo irrecuperável, com um homem casado. Um dia, mais cedo ou mais tarde, o homem enjoaria dela e ficaria só com a esposa. Não, ela cria que não estava perdendo nada. Os dias, os anos, a juventude, todo o ciclo vital dela seria dele, caso ela quisesse ofertar, pois, de certo modo, ele a queria sempre. A relação amorosa dos dois perdurou trinta e cinco anos; enquanto ela quis.

Tudo durou até quando Tina quis. Um dia, já aposentada, Juventina comunicou a Fio que iria mudar de cidade, ou melhor, viajar de cidade em cidade, parar em lugar algum. A partir da vida dela, e de tudo que tinha vivido com ele, ela queria entender sobre os modos de as mulheres amarem. Por isso, queria conversar com as suas semelhantes, ouvir as histórias amorosas delas, fundir as vivências de umas às de outras e, depois, compor uma grande ária, juntando as histórias de amor de outra, de outra e de outra...

**JUVENTINA MARIA PERPÉTUA** resolveu deixar Fio Jasmim, não porque o amor dela por ele tivesse acabado. Mas porque ela queria entender a profundidade daquele sentimento que estava apegado no interior dela desde a primeira vez que bateu os olhos nele. Havia trinta e cinco anos que ela vivia com a pessoa amada, e cada encontro era tudo, como se fosse da vez primeira. De Fio, escutou até pedidos para que ela parasse de amá-lo tanto. Ocasiões houve em que Fio ia visitá-la só para convencê-la de que o amor que lhe era oferecido por ela transbordava para além do merecimento dele. Ela não entendia as argumentações e o desejo de Fio em receber um amor comedido, como se fosse possível medir ou pesar sentimentos. Um dia, em meio a uma discussão em que Fio tentava lhe devolver como recusa o excesso de amor que ele nem queria aceitar, as cartas surgiram como superlativos escritos desse amor que não cabia na vida nem no papel. O que fazer, onde guardar cartas e mais cartas, bilhetes, desenhos de coração atingidos pelo cupido com a flecha certeira? Precisava devolver as cartas. Já tinha destruído algumas, mas não conseguira apagar de si o que lera nelas. O que fazer com as cartas? O que fazer com a vida ali escrita? O que fazer com a escrita da vida, que o amor dela por ele tinha gerado? O que fazer com tanto amor, tanta dádiva, tanta oferenda? Juventina não pedia nada, nunca. Ele queria oferecer algo em troca. Não tinha. Nem uma sandália sequer ele tinha oferecido a Tina. Não podia ser rei, não podia ser príncipe. Não era dono de nenhum tesouro. O que ele havia oferecido para as mulheres que tinham sido suas? Para a esposa, tinha certeza, havia oferecido filhos. Também, só no ato de fazer, algum oferecimento se deu. Ele nem prestava atenção ao crescimento dos filhos. Mas para Tina, nada. O próprio ato do jogo do prazer fora sempre incompleto. Nunca tinha se adentrado na moça. Nunca tinha se dado inteiro para ela. Nem havia perguntado se a forma de prazer que ele oferecia cumpria os desejos dela. Todas as regras do jogo tinham sido definidas por ele. De ajuda financeira, também não foi preciso, pois ela sempre sobrevivera sem ele. Antes de ter feito o concurso público, como professora de música, a moça tinha a ajuda da família. E, aos poucos, foi se afirmando como compositora, sendo procurada por cantoras e cantores com desejos de interpretarem suas criações. Nunca enfiou a mão no bolso por ela, a não ser, muitas vezes, para alisar o membro intumescido, ao relembrar a passividade do corpo dela à disposição de sua língua. Tina nunca pedia nada, nem na cama, só se ofertava. E se ofertava com tal prazer que era impossível não a tomar prazerosamente também. Mas havia alguma coisa em Tina que lhe causava um sentimento de culpabilidade, de remorso; não pelo que ele fazia com ela, mas pelo que deveria fazer e não sabia como e o quê. De Tina, o que mais ele lembrava era do silêncio dela. Tina era uma mulher silenciosa. Tão silenciosa, que nunca avisara a ele que estava indo embora. Depois de tantos anos, Fio Jasmim havia descoberto que Tina era uma mulher que se fez livre. Tão livre que tinha ido. Mais livre do que ele, homem viageiro até por profissão, e que, porém, tinha ficado para trás.

**E ASSIM NÓS SEGUIMOS.** De Fio Jasmim quem nos trouxe as últimas notícias foi Eleonora Distinta de Sá, semelhante nossa, pertencente, mais tarde, à confraria de mulheres. Ela nos trouxe uma face encoberta de Fio Jasmim, que talvez nem ele mesmo soubesse ser possuidor. Distinta de Sá foi a única mulher que percebeu o esvaziamento que Fio trazia no peito. Ela compreendeu que nele morava também o desespero. Mas Fio Jasmim, ele próprio, como homem, aprendera que o território macho era outro. Era uma região que se situava a mil milhas de diferença das terras das mulheres. E, como proprietário de uma extensa gleba, o homem ali tinha o dever de dominar as mulheres, de alguma forma. E mais, tinha ainda de desafiar e causar inveja a outros machos. Não sendo de bom tom o derramamento das dores do macho — assim pensava Fio Jasmim —, por isso ele calou qualquer sintoma de mortificação em sua vida. Pouco importava a dolorida lembrança de ter sido preterido pelo coleguinha branco para representar um príncipe. Era preciso esquecer essa lembrança, negá-la sempre. Só as fêmeas podem dar vazão às suas agonias, às suas aflições, das menores às maiores. E, por isso, sempre os olhos secos de Fio Jasmim diante da morte e da vida. Notícias de uma mulher que tinha se matado por ele, filhos dele nascendo, a mãe morrendo, o pai, meses depois. Dores não vazam dos olhos dos homens.

No entanto, a lição de cunho mais severo e doce que Fio Jasmim aprendeu foi com uma mulher. Uma mulher a quem ele nunca cortejou. Com ela, aprendeu que o homem podia, sim, verter em lágrimas suas dores e sua perplexidade diante da vida, diante do mundo.

E foi Eleonora que enxugou carinhosamente as lágrimas de Fio Jasmim, enquanto esteve por perto dele, antes de ela se juntar a nós. Os profundos prantos do homem foram ouvidos por ela. Lágrimas em turbilhões, porque antes represadas em algum canto da alma dele. Em um desses momentos de livres lágrimas, tal a extensão da confessada dor, antes negada, Fio Jasmim falou para Distinta de Sá sobre a música que Tina tinha feito para ele um dia.

O tesouro, lembrança de um amor vivido, a partitura da composição musical, ficava cuidadosamente dentro de uma caixa, antes guardadora de camisa. Não em uma caixa qualquer, de uma camisa qualquer. Mas de um antigo modelo de camisa que simbolizava bem a vaidade e o poder aquisitivo dos homens que a possuíam na época. Era uma camisa cara, até se popularizar, quando passou a ser confeccionada, então, com um tecido mais barato, que imitava a fabricação original. A cobiçada camisa era nomeada de "camisa volta-ao-mundo". Na feitura do modelo original, um tecido branco, fino e transparente dava certa leveza à peça do vestuário masculino. Na caixa vazia, que durante anos guardou uma dessas camisas pertencentes ao pai de Jasmim, que a partitura encontrou proteção. Ali, carinhosamente, ao contrário das cartas abandonadas, largadas a esmo, que Fio guardava a partitura da composição criada para ele: "Canção para ninar menino grande". A ária, que abriria, um dia, um grande musical, concebido por Tina, a partir da história de amor dela com Fio Jasmim. Na composição, além das vivências amorosas de Tina, histórias de amor de mulheres que encontramos em nossos caminhos, compõem o texto.

Hoje, Eleonora e eu seguimos Juventina em suas andanças e em sua história. Misturamos as nossas à dela. Fiz a promessa de contar a minha um dia para ela. Será também, quem sabe, uma canção... Cultivo na memória e ao lado de meu corpo, bem próximo a mim, a extensão de um amor que me foi oferecido até quando a vida me permitiu. O meu amado, perdi para a morte. Dele, guardei a minha filha, a nossa.

Quanto à vida de Juventina Maria Perpétua com Fio Jasmim, minha amiga me afirma, sempre, que nunca precisou de um amor diferente do que ele lhe oferecia. Estava satisfeita, feliz até. Não queria um homem constantemente ao seu lado. Não precisava posar de esposa ou de namorada preferida. De noiva, muito menos. Não queria ser aquela que conta horas por horas, dia por dia, medindo o tempo que falta, para se permitir ser oficialmente da pessoa amada. Ela gostava da relação que mantinha com Fio Jasmim. Nem esposa, nem noiva, nem namorada. Amante sim, talvez. Ela gostava de Fio Jasmim. Se amor era o sentimento que ela nutria por ele, ela era, sim, com toda a certeza, amante de Fio. Amante dele desde sempre.

Sim, amante desde sempre, é o que me afirmou Tina, ao me contar em detalhes a história de amor que ela viveu com Fio Jasmim. Algumas passagens eu já sabia; há muito que ela vem trazendo pedaços de relato desde que chegou aqui. Todas nós estamos sós, mas a nossa confraria não nos deixa sentirmos sozinhas. Somos e estamos umas com as outras. E, quando o vazio no peito nos atormenta, não nos entregamos ao desespero, compartilhamos a dor ancestral que existe em cada uma de nós. Acho que o vazio nato que Tina traz no peito, ela coloca na música. "Canção para ninar menino grande" nasceu, me disse ela, em dias em que Fio Jasmim sumira da visão concreta dela durante meses. E a interminável ausência dele foi se dizendo, então, em música. Seria "Canção para ninar menino grande" a canção da ausência, da falta, do vazio transbordante no peito de Tina? Não sei...

Sei apenas, a partir de minha intuição feminina, que novas canções estão para nascer na vida de Tina. Não só na dela. Um encantamento paira no ar quando Juventina e Eleonora se encontram em nossa roda. As outras amigas também estão tendo essa boa premonição. Quem sabe a busca de Eleonora por um passado irrecuperável tenha a resposta nesse tempo presente a construir. Queremos ser cúmplices e testemunhas das histórias de amor, enquanto vivemos as nossas. Uma paixão também ameaça em meu peito...

**BUSQUEI ESCREVER** a história que Tina me contou. Não é só a história dela, mas das várias mulheres que, direta ou indiretamente, tiveram os caminhos cruzados com os de Tina. Tentei captar tudo o que Juventina me narrou para escrever depois. Muitas partes parecem ser ficção. Invenção de Tina ao me contar ou minha ao escrever. Afirmo que a medida é a mesma. Ficção e verdade. Em histórias de amor, tudo parece ser para felicidade ou para dor. Nem sempre é sábio duvidar do que parece ser. Venho aprendendo que é bom, às vezes, crer no que parece ser. Pois o parecer ser, quando ninguém ainda percebe, é o ser. Por isso acreditei na história de Tina. Nunca duvidei do que ela me contou, desde aquele dia em que foi acometida pela forte dor no peito. Dor de amor, ela me confessou mais tarde. Eu não tinha como duvidar da história contada por Juventina. Antes, eu tinha visto o corpo dela cambalear de dor. Vi e ouvi o mesmo corpo transmutar de um estado de quase desmaio para uma condição de vitalidade ímpar. Vi e ouvi o corpo de Juventina Maria Pérpetua se aprumar e entoar uma comovente ária. A "Canção para ninar menino grande", um canto que tinha nascido da vivência amorosa dela, a única até então. Assisti ao corpo quase desfalecido de

Tina se recuperar na contação da vida. A crença me foi permitida porque era um ato de escutar e ver. Eu na escuta-via ou vendo-escutava, como queiram. A história de Juventina estava ali. Tinha o corpo. Havia a fala dela, o timbre, o tom. Havia a contação, cujo cerne era o corpo e seus gestos. Era a vida. Por isso, acreditei e escrevi. Só escrevo o que creio, vem daí a minha invenção, pois a canção é minha também.

**Conceição Evaristo**
**outubro de 2018 /**
**3 de fevereiro de 2022**

**Conceição Evaristo** é escritora, ficcionista e ensaísta. Graduada em Letras com ênfase em Literatura pela UFRJ; mestre em Literatura Brasileira pela PUC-Rio, doutora em Literatura Comparada pela UFF.

Sua primeira publicação foi em 1990 na série Cadernos Negros do grupo Quilombhoje. Dos sete livros publicados, cinco foram traduzidos para inglês, francês, espanhol, árabe e eslovaco. Em 2015, *Olhos d'água* foi vencedor do Jabuti na categoria Contos e Crônicas.

No Salão do Livro de Paris, lançou as obras *Ponciá Vicêncio* e *Insubmissas lágrimas de mulheres* pela editora Anacaona, e *Poemas da recordação e outros movimentos* em edição bilíngue (português/francês) e *Olhos d'água* em francês pela Editora Des Femmes.

Foi condecorada com o Prêmio do Governo de Minas Gerais pelo conjunto de sua obra; Prêmio Nicolás Guillén de Literatura pela Caribbean Philosophical Association; Prêmio Mestra das Periferias pelo Instituto Maria e João Aleixo; e homenageada com a Ocupação Conceição Evaristo pelo Itaú Cultural.

Em 2019, teve três livros aprovados no PNLD Nacional; foi a escritora homenageada da Olimpíada de Língua Portuguesa pelo Itaú Social; e pelo Prêmio Jabuti como personalidade literária. Em 2022, tomou posse da Cátedra Olavo Setúbal de Arte, Cultura e Ciência, na USP. Conceição é mineira de Belo Horizonte e mãe de Ainá – sua especial menina.